C000261990

DUNKLE VERFÜHRUNG UND BEEINFLUSSUNG

Die Kunst verdeckter Überzeugungsmethoden. So gewinnen Sie andere Menschen für sich und schützen sich vor Manipulation

EMORY GREEN

BONUSHEFT

Mit dem Kauf dieses Buches haben Sie ein kostenloses Bonusheft erworben.

In diesem Bonusheft „Hypnose Schnellstart-Anleitung“ erhalten Sie eine Einführung in die Welt der Konversationshypnose. Mit diesen Techniken können Sie andere Menschen während eines normalen Alltagsgespräches unbemerkt hypnotisieren.

Alle Informationen darüber, wie Sie sich schnell dieses Gratis-Bonusheft sichern können, finden Sie am Ende dieses Buches.

Beachten Sie, dass dieses Heft nur für eine begrenzte Zeit kostenlos zum Download zur Verfügung steht.

INHALTSVERZEICHNIS

EINFÜHRUNG

Was ist Verführung? Es gibt so viele verschiedene Beispiele dafür: den Politiker, der Menschenmengen anzieht sowie dessen Anhänger, die sich manchmal so verhalten, als wären sie regelrecht von ihm verzaubert. Eine Person, die nicht auf klassische Weise attraktiv ist, die jedoch ständig in Begleitung von schönen Menschen gesichtet wird. Ein Redner, der den gesamten Raum in seinen Bann zieht. Die Frau, die Sie kennen, die mehrere Kinder hat, aber die dennoch immer einen Mann findet, der sich um sie kümmert. Der Mann, über den Sie und Ihre Freunde sprechen, weil er jeden Abend eine andere Frau ins Bett zu bekommen scheint. Vielleicht waren Sie auch schon einmal von einer Person fasziniert, die Sie unglaublich verlockend fanden, obwohl Sie nicht genau herausfinden konnten, warum das so ist. Oder Sie haben Freunde, die den fleischlichen Versuchungen noch nie widerstehen konnten.

Die Macht der Verführung ist unbestreitbar. Und doch scheint diese Macht in der normalen Gesellschaft nicht vollständig akzeptabel zu sein. Wenn über dieses Thema gesprochen wird, dann auf moralisch mehrdeutige Art und Weise. Ist das eine gute Sache? Oder eine schlechte Sache? Oder liegt die Wahrheit irgendwo dazwischen? Die Kunst der Verführung ist eine Wissenschaft für sich und verlässt sich nicht auf Meinungen. Die Fähigkeit, andere Menschen zu faszinieren, ist nicht nur eine Kunst, sondern eine eigene Wissenschaft. Das Verständnis der menschlichen Natur und der menschlichen Psychologie ist der Schlüssel zum Erlernen der Verführungskunst. Jeder kann diese Tipps und Tricks erlernen, wenn er die Grundlagen beherrscht. Und jeder, der dieses Buch liest, kann die von mir beschriebenen Werkzeuge verwenden, um andere Menschen zu verzaubern und zu beeinflussen. Und was vielleicht noch wichtiger ist: Auch Sie können lernen, zu erkennen, wenn jemand versucht, Sie zu verführen. Ganz egal, ob Sie den Trick gutheißen oder nicht, Sie werden verstehen, was vor sich geht.

Die Verführung bringt ihre eigenen Risiken und Chancen mit sich und die Belohnungen, die sich daraus ergeben, andere Menschen erfolgreich zu verführen, können unglaublich positiv sein! Doch hierbei gibt es auch Risiken. Seien Sie sich dessen bewusst, dass es etwas kostet, dieses Spiel zu spielen. Das Buch, das Sie gerade in Ihren Händen halten, verrät Ihnen die Geheimnisse der Vor- und Nachteile der Verführung. Sie werden nach der Lektüre dieses Buches die Hintergründe der aktuellen Verführungskontroversen verstehen und zudem die Techniken erlernen, um andere Menschen anzuziehen bzw. sich gegen Verführungsversuche anderer Menschen zu verteidigen. Außerdem werde ich über die künstlerischen und wissenschaftlichen Aspekte sprechen, die diese Macht in uns antreiben.

Lassen Sie mich jedoch deutlich machen: Ich bin kein „Anmach-Profi“! Ich bin ein Mann der Wissenschaft, der wissenschaftliche Erkenntnisse in die Tat umsetzt. Ich habe die aktuellen Forschungsergebnisse studiert und zudem die mächtigen Menschen, die sogenannten „Alphas“, analysiert, die die Welt regieren. Diese Menschen führen millionenschwere Unternehmen und werden ständig von unzähligen Menschen nach ihren Geheimnissen befragt. Einer der versteckten Vorteile, die solche Menschen haben, ist die Art und Weise, wie sie die Macht der Verführung ausüben. Solche Menschen sind unglaublich magnetisch und andere Menschen fühlen sich stark von ihnen angezogen. Das kommt nicht von ungefähr. Es handelt sich um das Resultat ihres Wissens, wie man andere Menschen verzaubert.

Ich möchte das Wissen und die Kenntnisse dieser „Alpha-Menschen“ verbreiten und Ihnen diese Informationen zugänglich machen - wenn Sie dazu bereit sind! Denken Sie jedoch daran, dass „Alpha-Menschen“ nicht ausschließlich männlich sind. Es gibt auch viele Frauen mit diesen Fähigkeiten. Die Menschen, mit denen ich dieses Wissen bereits geteilt habe, waren unglaublich dankbar für diese Erfahrung. Sie haben mir berichtet, wie viele Möglichkeiten sich für sie eröffnet haben, als sie mit der Umsetzung dieser Techniken begonnen haben und wie viele Opportunisten sie identifizieren und vermeiden konnten, nachdem sie sie endlich durchschaut hatten. Sie waren auch dankbar für die wunderschöne Welt, die sich ihnen eröffnete, nachdem ich ihnen die Techniken der Verführung nähergebracht hatte. Diese Menschen kennen nun das Geheimnis der magischen Verführungskunst. Ich freue mich, dass diese Menschen allmählich erkennen, wie weit sie gehen können, um ihre Träume und Wünsche zu verwirklichen, sobald sie damit beginnen, sich die Informationen in diesem Buch zu Nutze zu machen.

Wenn ich dieses Wissen anderen Menschen zugänglich mache, wird mir zudem klar, dass diese Kenntnisse den Menschen dabei helfen, die menschliche Natur so viel besser zu verstehen, wenn sie erst einmal verstanden haben, dass es keinen Zauberspruch gibt, sondern lediglich eine Hebelwirkung menschlicher Wünsche. Dies ist die Art von Informationen, die die Leute erfahren wollen, doch niemand möchte darüber sprechen. Wenn Sie dieses Buch lesen, dann legen Sie den Grundstein dafür, um das zu bekommen, was Sie wollen.

Meine Leser sind oft neugierig, wie die Bereiche Psychologie und Verführung zusammenarbeiten. Vielleicht haben Sie einen Artikel über die „Kunst der Verführung“ gelesen. Doch ohne einen wissenschaftlichen Hintergrund scheint die Kunst der Verführung manchmal ZU mächtig für Laien zu sein. Vielleicht zweifeln Sie jedoch auch daran, ob die Kunst der Verführung ohne jegliche Forschungsergebnisse, die sie stützen, überhaupt funktioniert. Dieses Buch zeigt Ihnen, wie mächtig eine Verführungstaktik ist, die sich auf die menschliche Natur und Psychologie stützt und auf wissenschaftlich fundierten Daten basiert. Viele Menschen, die diese Informationen aufgenommen haben, fanden diese Macht schließlich in sich selbst und verstanden damit die menschliche Natur sowie ihre eigenen Fähigkeiten besser, die Dinge anzuziehen, die sie sich vom Leben und von einem Partner wünschen.

Sobald Sie dieses Buch gelesen haben, haben Sie die Kontrolle über diese Macht. Sie sind sich Ihrer Fähigkeit stärker bewusst, andere Menschen dazu zu bringen, das zu tun, was Sie möchten. Das Verständnis der Wünsche, Stärken und Schwächen sowohl Ihrer als auch der Macht anderer Menschen liegt ganz bei Ihnen. Wenn Sie beginnen, die in diesem Buch beschriebenen Techniken anzuwenden, werden Sie feststellen, dass Sie einen Vorteil in Bezug auf Erfolg und Glück haben. Ihnen werden sich mehr Möglichkeiten bieten - nicht nur in Ihrer Karriere oder bei der Suche nach einem Lebenspartner, sondern in allen Aspekten Ihres Lebens.

Derzeit verwenden viele erfolgreiche Menschen diese Werkzeuge. Sie sind diejenigen mit einem Vorsprung. Möchten Sie, dass jemand anderes Ihr Traumleben lebt oder sich Ihren Traumpartner schnappt? Sie wissen vielleicht noch nicht einmal, dass Ihr Traumpartner bzw. Ihr Traumleben bereits auf Sie warten. Jemand anderes könnte Ihren Traumpartner verzaubern, während Sie immer noch versuchen, herauszufinden, was Sie tun möchten. Seien wir ehrlich, es gibt viele Menschen, die über diese Informationen verfügen und die Sie als Beute betrachten, weil Sie diese Werkzeuge noch nicht kennen. Werden Sie stattdessen zum Verführer! Setzen Sie die Macht, die Sie in sich tragen, ein und machen Sie sie sich zu Nutze. Wie Sie später in diesem Buch feststellen werden, muss die Beeinflussung anderer Menschen nicht bösartiger oder manipulativer Natur sein. Sie können diese Werkzeuge zum Wohle der Allgemeinheit einsetzen und sie zusätzlich zu Ihrem Vorteil nutzen.

Entdecken Sie die Geheimnisse hinter der Kunst der Verführung. Lernen Sie die Wissenschaft kennen, die der menschlichen Natur und der menschlichen Psychologie zugrunde liegt. Werden Sie dazu befähigt, Ihr bestes Leben zu führen. Dieses Buch beurteilt Sie und Ihre Wünsche nicht. Zu diesem Zeitpunkt sind Sie die einzige Person, die Sie daran hindern kann, diese Macht zu aktivieren.

KAPITEL 1:

Wahre Verführung

Was bedeutet das Wort „Verführung“? Menschen denken oft in Bezug auf Sex an diese Macht. Ein Mann, der Frauen verführt, kann ein Anmachprofi bzw. ein Casanova sein. Eine Frau, die Männer verführt, ist eine Verführerin (ebenso wie eine Frau, die andere Frauen verführt). Denken Sie an andere Situationen, in denen Sie das Wort „verführen“ oder „Verführung“ gehört haben. Einige Politiker sind bekannt für ihr Charisma und ihre Fähigkeit, der Person, mit der sie sprechen, das Gefühl zu geben, sie sei der einzige Mensch im Raum. Sie haben vielleicht schon einmal gehört, dass beliebte oder berühmte Redner ihr Publikum mit ihrer magnetischen Ausstrahlung „verführen“. Ausgezeichnete Vertriebsmitarbeiter sind manchmal ebenfalls dafür bekannt, ihre Interessenten zu einem Kauf zu „verführen“.

Was haben alle diese Menschen gemeinsam?

Verführung: Eine einfache Definition

Wenn wir uns diesen Begriff im Wörterbuch ansehen, dann wird die Mehrdeutigkeit des Wortes klar. Einige der Bedeutungen dieses Begriffes sind negativ, andere positiv.

1. In die Irre führen, korrumpieren
2. Geschlechtsverkehr herbeiführen oder eine Person zum Geschlechtsverkehr überreden
3. Eine andere Person von ihren Prinzipien entfernen
4. Gewinnen, anziehen, anlocken[1]

[1] https://www.dictionary.com/browse/seduce

Interessanterweise ist die lateinische Wurzel des Wortes viel neutraler. Das Wort kommt aus dem Lateinischen *„se ducere“*, was „sie führen“ bedeutet. Darum geht es bei der Verführung wirklich: Um Führung. Natürlich kann Führung schlecht, gut oder neutral sein. Sie können sich Verführung als Führung von anderen Menschen vorstellen. Wenn Sie möchten, dass eine andere Person Sex mit Ihnen hat oder sich in Sie verliebt, dann verleiten Sie sie dazu, Sie als attraktive Person zu sehen. Wenn Sie auf der Bühne stehen, bringen Sie das Publikum dazu, Ihnen zuzuhören und Sie für glaubwürdig zu halten. Wenn jemand anderes versucht, Sie zu verführen, dann versucht diese Person, Sie dazu zu bringen, die Sache zu tun, die sie will.

Das Paradoxe der Verführung

Diese Art von Macht ist von Natur aus manipulativ. Die Verführung an sich ist jedoch nicht machtvoll. Es handelt sich hierbei nicht um Vergewaltigung, wenn man Verführung im Kontext von Liebe oder Sex betrachtet. Es geht um den Prozess und vor allem um die Überzeugungsarbeit, nicht um körperliche Gewalt oder Drohungen. Verführung ist auch nicht einseitiger Natur. Es besteht zumindest am Ende auf beiden Seiten Zustimmung. Doch es kann sein, dass anfangs keine Zustimmung besteht. Der Verführer will sich durchsetzen. Wenn sein Gegenüber unterliegt, dann liegt das nicht daran, dass er körperlich oder geistig dazu gezwungen wurde. Er ist deswegen unterlegen, weil der Verführer die Aussicht auf Zugeständnisse so verlockend und verführerisch gestaltet hat. Stellen Sie sich zum Beispiel eine Jungfrau vor, die zum ersten Mal zum Sex mit einem Mann verleitet wurde. Da die Verführung auf die sinnliche Seite der menschlichen Natur und nicht auf die logische, rationale Seite abzielte, kann die Jungfrau die Begegnung sehr wohl als negativ betrachten. Dies kann passieren, wenn sie ihre Kapitulation vor der Verführung als schlecht empfindet oder wenn sie sich „benutzt“ fühlt und danach das Gefühl hat, dass der Mann sich nicht mehr um sie kümmert.

Auf der anderen Seite kann sich jemand, der Jungfrau war, möglicherweise länger als gewünscht, wie befreit fühlen, wenn er „genommen" wurde. Eine Frau, in deren Kultur Sex als etwas Schmutziges und Falsches angesehen wird, kann sich später erleichtert fühlen, dass sie genommen wurde. Oder sie entdeckt ihre eigene weibliche Kraft, von der sie vielleicht bisher noch nichts wusste oder die sie überhaupt nicht besaß.

„Das Verlangen des Mannes ist nach der Frau, doch das Verlangen der Frau ist nach dem Verlangen des Mannes." - Madame de Stael

Verführung kann viele Gesichter haben. Aus diesem Grund lässt sich schnell behaupten, dass die Konsequenzen für die verführte Person immer negativ sind. Verführung kann angenehm und auch paradox sein: Die Auswirkungen können positiv und/oder negativ sein. Die Wahrheit ist, dass viele Menschen verführt werden wollen. Sie wollen sich besonders fühlen, in einen Bann verfallen, wenn auch nur für kurze Zeit. Sie wollen wertgeschätzt und als verführungswürdig angesehen werden. Wenn es um Sex geht, ist Erregung eine der stärksten menschlichen Erfahrungen - die meisten von uns wollen mehr davon! Der Nervenkitzel der Verführung ist die Vorfreude darauf, nicht der Höhepunkt des Begehrens oder das Erreichen des Zieles. Die Aufregung besteht darin, den Prozess zu genießen und das Spiel zu verlängern, um es in vollen Zügen genießen zu können. Vorfreude ist der Schlüssel zum Genuss vieler Erlebnisse - auch was Urlaub betrifft. Das Vergnügen, an einen bevorstehenden Urlaub zu denken, kann manchmal sogar das Glück überwiegen, das Sie auf der Reise selbst empfinden.[2] Viele Menschen macht es glücklich, wenn sie mehr Zeit damit verbringen, Freude an den Vorbereitungen für große, wunderbare Ereignisse zu verspüren und den Moment zu genießen.

---

[2] https://www.psychologytoday.com/us/blog/shameless-woman/201207/the-power-seduction

Der Unterschied zwischen Verführung, Überzeugung und Manipulation

Diese drei Arten der Kommunikation, um andere Menschen zu beeinflussen, sind eng miteinander verbunden, doch sie bedeuten nicht alle dasselbe. Das Wort mit einer positiveren Konnotation ist „Überzeugung", was einfach die Kommunikation umfasst, die das Verhalten einer anderen Person verändern soll. Die Person, die überzeugt wird, empfindet keinerlei Belastung und ist sich der Absicht bewusst. Niemand versteckt etwas und die Fakten sind beiden Seiten bekannt. Menschen, die andere Personen überzeugen möchten, verwenden oft logische Argumente, um ihre Ziele zu erreichen. Ihr Gegenüber kann diese Annahmen auch infrage stellen. Wenn die andere Person jedoch feststellt, dass das Argument zutrifft, kann sie dies durchaus akzeptieren und ihr Verhalten ändern, so wie es sich die Person, die überzeugen möchte, erhofft hat.

Werbeanzeigen verwenden häufig bekannte Techniken, um ihre Zielgruppe zum Kauf zu bewegen. Emotionale Anziehungskraft, der Nachahmungseffekt und andere Methoden sind weit verbreitet. Zudem werden die Aspekte Design und Farbe verwendet, um Kampagnen zu erstellen, die Käufer anziehen sollen. Obwohl einige dieser Ansätze dem breiteren Publikum bekannt sind und von diesem auch verstanden werden, so sind andere Ansätze weitgehend unbekannt. Dies führt uns zu den beiden oben genannten Bereichen, in denen beide Seiten nicht gleichermaßen für die versuchte Einflussnahme gerüstet sind.

Die Manipulation ist beabsichtigt und ein Teil dieser Absicht besteht darin, die Person zu täuschen, die manipuliert wird. Fakten oder Wissen werden verheimlicht, um die vom Manipulator gewünschten Ergebnisse zu erzielen. Sie können dies manchmal sogar am eigenen Leib erfahren, da die Manipulation ebenfalls bei Marketing- und politischen Kampagnen üblich ist, bei denen der Manipulator versucht, nur wenig preiszugeben, um im Gegensatz viel zu erhalten. Ein bekanntes Manipulationswerkzeug ist die Reziprozität[3], bei der derjenige, der die Manipulation durchführt, etwas gibt, das dem Empfänger das Gefühl gibt, verpflichtet zu sein, das zu tun, was der Manipulator will.

Im Rahmen einer politischen Kampagne können Buttons oder Aufkleber versendet werden, sodass sich die Empfänger verpflichtet fühlen, für die Kampagne zu spenden und sich möglicherweise freiwillig vor Ort zu melden. Viele gemeinnützige Gruppen versenden alle Arten von Gegenständen, wie Taschen, Kalender, Regenschirme und T-Shirts, um Spenden zu erhalten. Sie stützen sich auf eine Charaktereigenschaft der menschlichen Natur, die uns sagt, dass Sie verpflichtet sind, sich zu revanchieren, wenn jemand Ihnen etwas gibt, und zwar unabhängig davon, ob Sie darum gebeten haben oder nicht.

Verkäufer manipulieren häufig Käufer. Sie bewerten die Kaufkraft des Käufers und verkaufen ihm dann mit der einen oder anderen Technik etwas Teureres. Haben Sie sich jemals in einem Autohaus manipuliert gefühlt? Dafür gibt es einen Grund. Die Manipulation ist vorübergehender Art, da die manipulierte Person ihrem Gegenüber nicht mehr vertrauen wird. Beziehungen basieren auf Vertrauen und Kommunikation. Sobald diese beiden Aspekte verletzt wurden, können die beiden Seiten keine Beziehung mehr zueinander aufrechterhalten. Überzeugung und Verführung sind normalerweise längere Prozesse, während die Manipulation nur über einen kurzen Zeitraum funktioniert. Im Gegensatz zur logischen Verwendung von Überzeugungsarbeit basiert Manipulation auf Emotionen.

Die Verführung liegt irgendwo zwischen Manipulation und Überzeugung. Wie bei der Manipulation spielt der Verführer mit den Emotionen seines Zieles. Ein Verführer spielt nicht mit offenen Karten, so als ob er einfach sein Gegenüber dazu überredet, etwas Bestimmtes zu tun. Es kann sein, dass ein Verführer seine wahren Absichten verbirgt. Zum Beispiel kann es passieren, dass

---

3 http://opinionsandperspectives.blogspot.com/2010/11/persuasion-manipulation-seduction-and.html

ein Casanova eine Frau dazu verleiten will, zu glauben, dass eine romantische Beziehung möglich ist, während er jedoch lediglich an Sex interessiert ist. Die betrügerischen Absichten sind dabei aber subtiler und weniger zwanghaft als bei einer Manipulation. Es existiert ein Versprechen zwischen beiden Parteien, genau wie bei der Überzeugung - doch das Versprechen wird bei einer Verführung eher unerfüllt bleiben.

Werbeanzeigen und Filme sind besonders anfällig für leere Versprechungen. Wie oft haben Sie eine Werbeanzeige für ein Lebensmittel gesehen, das Sie so hungrig gemacht hat, dass Sie es kaufen mussten, nur um dann festzustellen, dass das Produkt nicht dem entspricht, was im Fernsehen gezeigt wurde (dies gilt insbesondere für Fast-Food-Restaurants). Das Lebensmittel schmeckte einfach nicht gut. Oder haben Sie vielleicht einen Trailer für einen Film gesehen, der großartig aussah, doch der komplette Film war eher mau? Diese Werbeanzeigen und Trailer waren verführerisch und nicht ehrlich.

Moderne Verführungstechniken

Erfolgreiche Unternehmen konzentrieren sich darauf, den Kunden zufriedenzustellen. Unternehmen, die für ihren hervorragenden Kundenservice oder ihre exzellente Kundenkonversionsrate bekannt sind, konnten schon immer die Vorstellung einer idealen Welt erschaffen - einer Welt, in der es weniger Probleme, weniger Schmerzen und mehr Vergnügen gibt. Menschen neigen dazu, Verlusten abgeneigt zu sein. Aus diesem Grund ist die Vermeidung von Schmerzen tatsächlich wichtiger als die Erschaffung von mehr Vergnügen. Menschen neigen ebenfalls dazu, sich von Unsicherheit angezogen zu fühlen. Ein Mann, der einer Frau deutlich macht, dass er von ihr angezogen ist, ist weniger wünschenswert als ein Mann, der widersprüchliche Signale sendet. Männer wiederum werden von einer „koketten Frau“ angelockt - einer

Frau, die neckt, flirtet und sich rar macht.[4] Diese Art der Verführung sticht in einer Welt hervor, in der Menschen oft aggressiv sind, wenn sie versuchen, Ihnen ein bestimmtes Produkt zu verkaufen. Dieser „Knappheitseffekt“ liefert auch für Marketing-Experten gute Ergebnisse. Die Devise „Handeln Sie jetzt oder der Bonus wird weg sein“ wird Kunden oftmals zum Handeln bewegen. Da Massenmedien und Werbung zusammenarbeiten, um die Verbraucher dazu zu verführen, ihr Geld auszugeben, ist es wichtig, im Hinterkopf zu behalten, dass die Verbraucher auf diese Nachrichten reagieren. Wir alle tragen zu der Gesellschaft bei, in der wir leben, nicht nur als Verbraucher, sondern auch als Menschen, die auf der Suche nach Lebenspartnern sind.

Jetzt, da Frauen ihre eigenen Möglichkeiten haben, um ihren Lebensunterhalt zu verdienen, sind sie nicht mehr so abhängig von Männern wie frühere Generationen von Frauen. Männer müssen einer Frau einen emotionalen Grund bieten, um mit ihnen auszugehen und Sex zu haben. Sie müssen sie auf eine Art und Weise verführen, die vor Jahrhunderten vielleicht nicht nötig gewesen wäre. Lange Zeit wurde angenommen, dass Frauen sich mit Sex lediglich „abfinden“. Dies könnte etwas damit zu tun haben, dass Frauen schnell heiraten mussten, wenn sie versorgt werden wollten. Wir modernen Menschen wissen jedoch, dass Frauen Sex mögen, doch sie dürfen nicht zeigen, dass sie Sex allzu sehr genießen, um nicht als Schlampe bezeichnet zu werden. Frauen wollen verführt werden und verliebt sein und sich attraktiv und verführerisch fühlen. Eine Frau zu necken, mit ihr zu flirten und sie zu verführen – all das sind moderne Möglichkeiten für einen Mann, um die Beziehung zu bekommen, die er will. Die Vorfreude sowohl von Männern als auch von Frauen macht die ganze Sache noch angenehmer. Der Schlüssel hier ist, dass Logik nichts damit zu tun

[4] https://coolcommunicator.com/social-seduction-creating-space-anticipation/

hat. Es geht darum, mit der emotionalen Anziehungskraft zu spielen. Es handelt sich hier um ein soziales Spiel und nicht um ein rationales.

Zusammenfassung des Kapitels

- Verführung kommt vom lateinischen „sie führen“ und kann je nach Kontext als positiv oder negativ angesehen werden. Manchmal beides.
- Wir Menschen wollen verführt werden, egal ob dies durch einen potenziellen Liebhaber geschieht oder durch eine Sache.
- Verführung als Beeinflussungstechnik ist weniger offen und emotionaler als Überzeugungsarbeit, doch weniger betrügerisch als Manipulation.
- Moderne Verführungstechniken erkennen an, dass wir mehr als je zuvor über die menschliche Natur wissen.
- Da Frauen heutzutage auf eine Weise unabhängig leben können, wie sie es zuvor nicht konnten, müssen Männer, die eine Frau suchen, Verführungstechniken anwenden, wenn sie eine romantische/sexuelle Beziehung mit einer Frau eingehen wollen.

Im nächsten Kapitel erfahren Sie mehr über die Geschichte und den psychologischen Hintergrund sexueller Verführer, darunter einiger berühmter Verführer der Geschichte.

KAPITEL 2:

Die Namen und Gesichter der Verführung

Wenn es um romantische und sexuelle Verführung geht, so gibt es viele prominente Vorbilder aus der Vergangenheit. Männer und Frauen haben im Laufe der Jahrhunderte verstanden, wie man die menschliche Natur ausnutzt, um andere Menschen zu beeinflussen, um das zu bekommen, was sie wollen. Es gibt verschiedene Arten von Verführern und sie alle besitzen ähnliche Eigenschaften. Sie werden es wahrscheinlich hilfreich finden, von den Menschen zu lernen, die die Techniken der Verführung beherrschen.

Berühmte Verführer der Geschichte

Sie haben wahrscheinlich von Giacomo Casanova gehört, da viele männliche Verführer allgemein als „Casanovas" bezeichnet werden. Er war ein Venezianer, der es genoss, Frauen zu lieben, die in Schwierigkeiten steckten. Er löste ihre Probleme und gab ihnen kleine Geschenke, bevor er sie in sein Bett lockte. Doch hinterher langweilte er sich und suchte das Weite. Sie kennen das Problem? Beachten Sie jedoch, wie er mit der Verführung begann, nachdem er sein Ziel ausgewählt hatte: Er löste die Schwierigkeiten der Frauen, in denen sie sich befanden. Mit anderen Worten, er war der „weiße Ritter", der sie rettete.

Ein weiterer bekannter männlicher Verführer war der Engländer Lord Byron. Als Dichter und Soldat war er ein Mann der Tat, der schreiben konnte und er war ein wahrer Frauenmagnet (der auch Männern nicht abgeneigt war). Der Filmstar Errol Flynn stand dem in nichts nach. Sogar Vorwürfe wegen Vergewaltigung konnten seinem Ruf nicht schaden, obwohl dies anders hätte ausgehen können, wenn er heutzutage mit diesen Vorwürfen konfrontiert worden wäre.

Der berühmte Basketballspieler Wilt Chamberlain behauptete, mit über 20.000 Frauen geschlafen zu haben. Die Zahlen scheinen extrem übertrieben zu sein. Er hätte seit seinem 16. Geburtstag jede Woche mit acht verschiedenen Frauen schlafen müssen. Die Frauen, die er kennenlernte, merkten, dass er sie dennoch respektierte, obwohl er ein sehr großes Ego hatte (und es schadete auch nicht, ein großgewachsener, reicher Mann zu sein). In jüngerer Zeit haben sich Jack Nicholson und Russell Brand, beides Schauspieler, in der Welt der Verführung einen Namen gemacht. Nicholson ist berühmt für seine Bad-Boy-Einstellung und seinen faszinierenden Charme, der nichts Gutes verheißt. Brand ist bekannt für seinen Witz und Charme sowie für sein Markenzeichen, seine einzigartige Frisur!

Zum Club der berühmten Verführer gehören keinesfalls nur Männer. Cleopatra, die letzte Pharaonin Ägyptens, gehört ebenfalls dazu. Sie benutzte sowohl Marcus Antonius als auch Julius Caesar, um ihre „Magie“ wirken zu lassen. Katharina die Große von Russland bewerkstelligte ihre Angelegenheiten auf andere Art und Weise. Nachdem sie ihre Liebhaber satthatte, gab sie ihnen gute Jobs in ihrer Regierung. Ihr früherer Liebhaber Potemkin half ihr sogar dabei, neue Liebhaber zu finden, die ihren Standards in Bezug auf Intelligenz und Leistung im Bett entsprachen.

Der Aufstieg der Verführungsgemeinschaften

Männer mussten früher, wenn sie Frauen verführen wollten, aus der Menge herausstechen und der Frau das Gefühl geben, etwas ganz Besonderes zu sein, um dann ihr Vertrauen und letztendlich einen Platz in ihrem Bett zu gewinnen. Viele Männer träumen davon, aus einer Menschenmenge herauszustechen und direkt im Bett einer Frau zu landen, ohne die ganze lästige Arbeit dazwischen erledigen zu müssen.

In Schottland glaubte man im 17. Jahrhundert, dass es ein geheimes Wort gäbe, dass Männer Frauen nur ins Ohr flüstern müssen, um sie ins Bett zu bekommen - und das ohne die ganze lästige Arbeit. Dieses Wort wurde durch einen Geheimbund von Männern geschützt, die Pferde abrichteten und trainierten. Dieser Geheimbund wurde als das „Wort des Reiters“ bezeichnet und schützte auch Agrarrituale, die das magische Wort beinhalteten, von dem angenommen wurde, dass es vom Teufel selbst stammte.[5] Das Wort sorgte dafür, dass Pferde wie angewurzelt stehen blieben, bis der Reiter sie schließlich aus ihrem Bann befreite und es führte auch dazu, dass Frauen ihrem Verführer machtlos ausgeliefert waren. Tatsächlich wurde auf unverheiratete Mädchen, die von den Reitern geschwängert wurden, nicht herabgeschaut, da die teuflische Macht des Wortes sie hilflos gemacht hatte. Mit anderen Worten: Es war nicht die Schuld der jungen Mädchen, dass das Wort gegen sie verwendet wurde.

Der Geheimbund war wie eine Gewerkschaft, die die Reiter schützte. Den besten dieser Pferdetrainer wurden besondere Vorteile gewährt: Sie erlernten das Wort, das Macht über Pferde und Frauen hatte und erhielten höhere Löhne. Sie verhielten sich wie die Freimaurer und benutzten geheime Handschlaggesten und dergleichen. Nachdem die Bauern schließlich Traktoren anstelle von Pferden benutzten, wurde das „Wort des Reiters“ in Freimaurer-Tempel aufgenommen. Zumindest nach Ansicht moderner Mitglieder der Gesellschaft stellte sich heraus, dass die Macht des Wortes nicht so sehr vom eigentlichen Wort stammte, sondern vielmehr von einer starken Mischung aus Ölen und Kräutern, die sowohl Frauen als auch Pferde anzog.

Im 20. und 21. Jahrhundert begannen Verführer damit, Gemeinschaften zu bilden, insbesondere über das Internet. In der Anfangszeit mussten sich junge Männer meist auf gleichaltrige

---

[5] https://www.ancient-origins.net/history/enchanted-sex-word-scotland-s-secret-
seduction-society-00811

Männer (die im Allgemeinen genauso wenig wussten wie sie) oder, wenn sie Glück hatten, auf ältere männliche Mentoren verlassen, um Informationen über das Thema Dating und die Suche nach einer begehrenswerten Frau zu erhalten. Weitere Informationen wurden mit dem Aufkommen von Magazinen, wie dem Playboy, verfügbar, die Bücher, wie den Klassiker „How to Pick Up Women" von Eric Weber, aus den 1970er Jahren bewarben.[6] In diesem Zusammenhang könnte der Begriff „Aufreiß-Künstler" entstanden sein.

Als jedoch in den 1980er Jahren die AIDS-Krise ausbrach, konzentrierten sich die Ratschläge darauf, gefahrlos Sex zu haben. Die 1990er Jahre und Oprah Winfrey brachten die sexuellen Bedürfnisse von Frauen in den Mainstream. Um die Jahrhundertwende entstanden mit dem Aufkommen des Internets Gemeinschaften, in denen Männer die Kunst der Verführung erlernen konnten. Von den Geheimnissen der neurolinguistischen Programmierung (NLP), die im Wesentlichen mit Hypnose identisch ist, bis hin zur „Necktechnik" brachten Männer anderen Männern modernere oder zumindest aktualisierte Techniken bei. Eine Frau zu necken bedeutet, ihr ein Kompliment mit einem Haken zu machen, so als würde man zu ihr sagen, dass sie „süß ist - wie meine zickige kleine Schwester".[7] Diese Methode war für schöne, glamouröse und selbstsichere Frauen gedacht, um ihr Interesse zu wecken, anstatt sich, wie so viele Männer, bei ihnen einzuschmeicheln. Leider kann die Technik zu negativen Konsequenzen führen, wenn sie in die falschen Hände gerät. Männer verwendeten diese Technik bei unsicheren Frauen bzw. bei solchen Frauen, die konventionell nicht attraktiv waren und sorgten bei diesen Frauen für Herzschmerz und Trauer, anstatt Raum für das Spiel der Verführung zu schaffen.

---

[6] https://historycooperative.org/the-history-of-the-seduction-community/
[7] https://historycooperative.org/the-history-of-the-seduction-community/

Internet-Foren wurden zu einem Ort, an dem sich Männer anonym treffen und ihre Verführungstheorien austauschen konnten. Sie konnten Geschichten über die Techniken teilen, welche funktionierten und welche nicht, und dies alles rein aus männlicher Sicht und ohne sich um Familienwerte zu sorgen. Einer dieser Männer war unter dem Namen „Mystery“ bekannt und berühmt dafür, einen Zylinder und eine Federboa zu tragen. Er bezeichnete dies als „Pfauen-Technik“ bzw. als Zurschaustellung eines tollen Aussehens, um Frauen anzulocken. Außerdem führte er Zaubertricks vor, um junge Frauen zu faszinieren. Junge Männer ahmten ihn und seine „Aufreiß-Fähigkeiten“ nach. Schließlich waren so viele Männer im Internet Mitglied von „The Community“, sodass irgendwann einmal ein Mann namens Neil Strauss ein Buch über die Bewegung mit dem Titel „The Game: Penetrating the Secret Society of Pick-Up Artists“ schrieb. Dieses Buch sowie eine TV-Show machten die Kunst des Frauen-Aufreißens noch populärer, bis irgendwann die meisten jungen Männer schon mal davon gehört hatten. Einige lehnten diese Methode ab, andere studierten sie genau, um die Geheimnisse der Verführung von Frauen zu erlernen.

Aufgrund dieser Popularität konnten Männer, die sich als Meister-Verführer bezeichneten, einfach behaupten, Experten in dieser Thematik zu sein. Bücher, CDs, Seminare und Bootcamps überfluteten den Markt. Gruppen von Männern fingen damit an, gemeinsam auszugehen, Frauen anzubaggern und die Techniken auszuprobieren. Um die Konkurrenz zu schlagen, konzentrierten sich einige Mitglieder der Community auf die Psychologie des Spieles und darauf, wie junge Männer aufgrund innerer Probleme und Unsicherheiten auf ihre eigene Art und Weise erfolgreich werden können. Derzeit fokussiert sich die Community mehr auf die Themen körperliche und geistige Fitness, um sich selbst zu einem attraktiven Ziel für Frauen zu machen als sich rudelweise an Frauen ranzumachen.

Mittlerweile gibt es im Internet viele Communitys, die Dating-Ratschläge geben. Sie scheinen sich weniger auf Gurus sowie auf das, was Experten dazu zu sagen haben, zu konzentrieren. Vielmehr fokussieren sie sich auf Crowdsourcing-Ratschläge. In vielen Fällen geht es bei den Taktiken mehr um das Thema Verführung und weniger um eine völlige Manipulation, was eine Falle ist, in die Aufreiß-Künstler häufig geraten.

Die Dunkle Triade der Verführer

Wie in der Einleitung erwähnt, steckt hinter der Kunst der Verführung eine Wissenschaft. In den obigen Beispielen verließen sich Männer hauptsächlich auf die Kunst, auf Klatsch und Tratsch von anderen Männern sowie auf Beispiele anderer Verführer und dergleichen. Die Wissenschaft identifizierte drei psychologische Merkmale, die häufig bei erfolgreichen Verführern zu finden sind. Sie werden als Dunkle Triade bezeichnet. Diese drei Merkmale sind Narzissmus, Psychopathie und Machiavellismus.

Worin bestehen diese Eigenschaften genau? Narzissmus zeigt sich in Dominanz, einer großartigen Sicht in Bezug auf sich selbst sowie einem Gefühl des Anspruches. Es konnte nachgewiesen werden, dass diese Charaktereigenschaft hauptsächlich bei Männern zu finden ist und in allen Kulturen existiert.[8] Einem Narzissten fällt es leicht, eine andere Person ins Bett zu locken und diese kurz nach dem Sex rauszuschmeißen. Ein Narzisst hat gerne Gelegenheitssex, was größere negative Folgen für Frauen hat (Schwangerschaft, Beschimpfungen als Schlampe), weswegen Männer eher an Gelegenheitssex interessiert sind als Frauen. Da Narzissten dazu neigen, ihre Ressourcen stärker zur Schau zu stellen als Nicht-Narzissten, wirken sie manchmal attraktiver auf Frauen.

Männer erzielen in Bezug auf machiavellistische Impulse tendenziell höhere Ergebnisse als Frauen. Dieses Merkmal umfasst betrügerische, manipulative und unaufrichtige Eigenschaften. Es ist bekannt, dass Narzissten so tun, als wären sie verliebt, um den

[8] https://scottbarrykaufman.com/wp-content/uploads/2013/09/The-Dark-Triad-Personality.pdf

Gelegenheitssex zu bekommen, den sie wollen. Diese Charaktereigenschaft ist für Gelegenheitssex förderlich, ebenso wie psychopathische Eigenschaften, bei der Menschen gefühllos sind, kein Einfühlungsvermögen haben und anderen Menschen feindlich gegenüberstehen können. Hierbei ist ein oberflächlicher Reiz überlagert. Menschen mit dieser Eigenschaft haben in der Regel viele Sexualpartner und werden nicht nur von sich selbst, sondern auch von Frauen als attraktiver eingestuft. Wiederum tritt dieses Merkmal häufiger bei Männern als bei Frauen auf. Die Dunkle Triade scheint das zu bevorzugen, was die Wissenschaftler „kurzfristige Paarung" nennen. Der Rest von uns bezeichnet dies als Gelegenheitssex. Die Frage ist dann, warum sich Frauen für Männer mit Eigenschaften der Dunklen Triade oder sogar einem dieser Persönlichkeitsmerkmale entscheiden. Die evolutionäre psychologische Theorie besagt, dass Frauen, die aufgrund der für sie höheren Sexkosten sexuell selektiver sein müssen als Männer, bestimmte Eigenschaften haben, nach denen sie bei einem Mann suchen. Es ist zu ihrem Vorteil, einen dominanten Mann zu wählen, da diese Männer normalerweise mehr Ressourcen für die Familie bereitstellen können. Dominante Männer sind normalerweise selbstsicher und selbstbewusst. Die Merkmale der Dunklen Triade erzeugen bei Frauen die Illusion, dass der Mann sozial dominant ist, und zwar unabhängig davon, ob er es tatsächlich ist oder nicht. Ein Mann, der unsozial ist, wirkt stark und männlich, ein Psychopath scheint selbstbewusst zu sein und aggressive Männer neigen dazu, dominant zu sein. Ein Mann mit einem großen Selbstbewusstsein wirkt ehrgeizig und motiviert, was ebenfalls ein Merkmal eines dominanten Mannes ist. Jemand, der auf der machiavellistischen Skala oben steht, neigt dazu, Macht zu haben und diese fast intuitiv zu verstehen, was der weiblichen Beobachterin nahelegen könnte, dass er selbst mächtig ist.

Zuvor habe ich darüber gesprochen, dass eine gewisse Unsicherheit bei einem potenziellen Sexualpartner äußerst anziehend wirkt. Männer, die in Bezug auf die Merkmale der Dunklen Triade hohe Ergebnisse erzielen, kümmern sich nicht darum, was andere über sie denken. Dies ist eine Einstellung, die unter gefallsüchtigen Menschen hervorsticht. Diese kleine Gefahr macht das Spiel der Verführung für die Person, die verführt wird, umso aufregender.

Kennen Sie jemanden, der ein gutes Beispiel für die Eigenschaften der Dunklen Triade ist? Ich gebe Ihnen eins: James Bond. Er verführt immer wieder neue Frauen, bleibt jedoch bei keiner lange. Die Frauen im Film fallen jedes Mal darauf herein, doch die Figur des James Bond gibt es auch im richtigen Leben!

Es konnte nachgewiesen werden, dass es im Dating-Bereich mehr narzisstische Menschen gibt als Menschen, die andere Merkmale der Dunklen Triade aufweisen.[9] Der Charme und die Aufmerksamkeit, die mit dieser Charaktereigenschaft einhergehen, sind für Frauen, im Vergleich zu Machiavellismus oder Psychopathie, tendenziell attraktiver. Diese Eigenschaften können Männern dabei helfen, sowohl im Dating-Bereich als auch im beruflichen Umfeld größere Erfolge zu erzielen. Die Eigenschaften der Dunklen Triade sind auch mit Offenheit für neue Erfahrungen, einem hohen Selbstbewusstsein sowie Neugier verbunden, die auch im beruflichen Umfeld attraktiv sind. Darüber hinaus tendieren die Merkmale der Dunklen Triade dazu, die Wettbewerbsfähigkeit einer Person zu verbessern. Ein hohes Ranking in Bezug auf Psychopathie und Machiavellismus schreckt potenzielle Konkurrenten ab und ist für Vorgesetzte attraktiv.[10]

Obwohl diese Verhaltensweisen vorteilhaft für eine Person sind, so schaden sie dennoch dem Unternehmen. Mitarbeiter, die Eigenschaften der Dunklen Triade besitzen, heften sich gerne an die Erfolge anderer Menschen. Die Wahrscheinlichkeit ist höher, dass solche Mitarbeiter die Firma bestehlen, sie sabotieren und nicht auftauchen, wenn sie keine Lust dazu haben. Obwohl sie möglicherweise persönlichen Erfolg haben, ist ihre tatsächliche

---

[9] https://www.sciencedirect.com/science/article/abs/pii/S0191886913006582
[10] https://hbr.org/2015/11/why-bad-guys-win-at-work

Arbeitsleistung schlecht. Die Vorgesetzten, die von diesen Menschen während ihrer Karriere in die Irre geführt wurden, ignorieren ihre mangelnde Produktivität.

Doch wenn Sie nicht psychotisch sind, können einige Aspekte der Merkmale der Dunklen Triade tatsächlich für das Allgemeinwohl verwendet werden. Führungskräfte müssen unbeliebte Entscheidungen treffen. Aus diesem Grund ist es am besten, wenn Sie sich als Führungskraft nicht zu sehr darum kümmern, was andere Leute denken. Spezialeinheiten und andere Elitetrupps müssen nicht mehr den Abzug betätigen und jemand anderen töten, damit sie nicht selbst getötet werden. Chirurgen müssen sich emotional von der Tatsache lösen, dass sie im Körper einer anderen Person herumschneiden, um eine Operation erfolgreich auszuführen. Zudem können moderate Merkmale der Dunklen Triade einer Organisation auch zugutekommen. Personen, die fortgeschrittene machiavellistische Züge besitzen, sind oft gute Angestellte, weil sie gut in den Aspekten Networking und Führung sind. Militärangehörige, die mit einer gesunden Portion Egoismus und Selbstbewusstsein die gute Seite des Narzissmus vertreten und ihre Manipulationsfähigkeiten steuern können, sind oftmals sehr effektiv. Mit anderen Worten ausgedrückt: Geringfügig ausgeprägte Eigenschaften der Dunklen Triade können durchaus von Vorteil sein. Wenn diese Eigenschaften aber zu stark ausgeprägt sind, dann bekommen wir die negativen Folgen zu spüren.

Alpha-Männchen und Alpha-Weibchen

Woher stammt das Konzept der „Alpha-Männchen“? Der Ursprung dieses Begriffes stammt aus der Welt der Tierversuche. Bei Tieren gibt es oftmals ein Alpha-Männchen, welches der unumstrittene Anführer des Rudels ist. Alpha-Männchen haben bei diesen hierarchisch strukturierten Tierarten einen hohen Status und deswegen Zugang zu mehr Ressourcen als andere Männchen. Typischerweise kann bestimmt werden, welches Mitglied einer Tierart das Alpha-Männchen ist, indem man die Männchen beobachtet, während sie gegeneinander kämpfen. Der Gewinner dieses Kampfes wird zum Alpha-Männchen und kann wählen, welche Partnerin er will. Er befindet sich in einer Machtposition.

Es ist bekannt, dass Männer, die sich in einer Machtposition befinden, Frauen zu ihrem Vorteil ausbeuten. Sie tun es, weil sie es können und weil sie dazu in der Lage sind. Jedoch handelt es sich bei den Alphas nicht nur um Männer. Einige davon sind auch Frauen. Sie sind talentiert, ehrgeizig und motiviert. Eine Alpha-Frau ist selbstbewusst und glaubt daran (wie ihre männlichen Kollegen), dass ihr Leistungspotenzial keine Grenzen kennt. Sie können ihre Emotionen regulieren, weil sie über eine hohe emotionale Intelligenz verfügen. Diese ermöglicht es ihnen, soziale und geschäftliche Interaktionen gut zu bewältigen. Als Teil ihrer emotionalen Intelligenz geben sie anderen Frauen den Ton an, um gute Diskussionen zu führen, ohne Opfer von Sticheleien und Klatsch zu werden. Sie haben einen starken Drang, mehr zu lernen und Expertinnen in ihrem Bereich zu werden. Eine Alpha-Frau, die sowohl für ihre geistige als auch für ihre körperliche Stärke bekannt ist, wird nicht nur um Hilfe gebeten, sondern bittet auch gerne andere Menschen um Hilfe, wenn sie diese benötigt. Sie stammt in der Regel aus stabilen familiären Verhältnissen, was es ihr leichter macht, neue Erfahrungen zu sammeln. Es kann nur eine Alpha-Frau geben, aber damit eine Organisation gut funktioniert, sollte es eine geben (anstelle von keiner).

Männer können jedoch nicht in Alpha-Männer und Beta-Männer unterteilt werden, wie es die Popkultur und frühere Alpha-Männerstudien gerne haben würden. In Ermangelung eines Zusammenhanges finden Frauen weder dominante Männer noch unterwürfige Männer attraktiv, was darauf hindeutet, dass es mehr als nur eine Möglichkeit gibt, um Frauen anzulocken.[11] Wenn die Dominanz zu aggressiv wird, wirkt es abtörnend. Doch wenn Dominanz Selbstbewusstsein und Durchsetzungsvermögen bedeutet, dann finden Frauen diese Eigenschaft attraktiv. Frauen haben

[11] https://greatergood.berkeley.edu/article/item/the_myth_of_the_alpha_male

nichts dagegen, wenn dominante Männer miteinander konkurrieren wollen, doch Männer, die ihnen gegenüber aggressiv werden könnten, empfinden sie als abtörnend. Tatsächlich mögen Frauen dominante Männer am liebsten, wenn sie verständnisvoll und nicht narzisstisch sind.

Bei uns Menschen geht es nicht immer um körperliche Stärke. Männer können sexuell begehrenswert werden, wenn sie Prestige erwerben, das über soziale Kanäle erfolgen kann. Die tatsächliche Leistung ist ein Faktor für echtes Selbstbewusstsein, was ein attraktives Merkmal ist. Ein Alpha-Mann zu sein ist auch kontextspezifisch: Ein CEO eines großen multinationalen Unternehmens wird nicht unbedingt das Alpha-Männchen in einem Gefängnis sein.

Während Dominanz in einem rauen oder extremen Umfeld wünschenswert sein kann, bietet Prestige Männern in mehr Situationen mehr Ressourcen, was attraktiver ist als jemand, der in einer „höflichen" Gesellschaft Zwang und Gewalt anwendet. Ein Alpha-Mann mit Prestige gilt nicht nur als stärker, sondern auch als moralisch und sozial kompetenter. Ein Alpha-Mann, der „nur" dominant ist, kann als stark eingestuft werden, wird jedoch nicht als ethisch oder kompetent angesehen.[12]

Die neun Arten von Verführern

Nachdem Sie nun Hintergrundwissen in Bezug auf die Psychologie und Geschichte der männlichen und weiblichen Verführer erlangt haben, möchten Sie vielleicht die unterschiedlichen Arbeitsweisen der Verführer verstehen. Möglicherweise erkennen Sie einen dieser Verführer-Typen wieder. Oder womöglich verstehen Sie den Verführer in Ihrem Leben ein bisschen besser.

[12] https://greatergood.berkeley.edu/article/item/the_myth_of_the_alpha_male

Der Lebemann

Dieser Verführer wird von seiner Libido angetrieben. Frauen sind entzückt von seinem intensiven Verlangen. Frauen verhalten sich in seiner Nähe nicht defensiv, weil er nichts zurückzuhalten scheint. Die Aufmerksamkeit und Leidenschaft des Lebemannes scheinen überwältigend zu sein. Viele Frauen ignorieren die Alarmzeichen, weil er nicht berechnend wirkt. Worte sind seine Waffe. Frauen mögen eloquente Männer und der Lebemann nutzt dies aus, wenn er auf der Suche nach einer Frau ist. Er wird jedoch nicht lange bei einer Frau bleiben und eine Ehe ist definitiv nicht das, was er sich in der Zukunft wünscht. Lord Byron und Errol Flynn waren beide Lebemänner.

Der ideale Liebhaber

Ein idealer Liebhaber kann männlich oder weiblich sein. In jedem Fall spiegeln sie die Fantasien derjenigen Person wider, die sie zu verführen versuchen. Casanova wurde zu dem weißen Ritter, den die Frauen, denen er nachstellte, wollten. Er informierte sich genau über eine Frau, wenn er ihr nachstellte, fand heraus, was sie wollte und gab es ihr dann, es sei denn, sie wollte eine Ehe eingehen.

Madame de Pompadour begann ihr Leben als bürgerliche Frau, doch sie verführte König Ludwig XV. von Frankreich, indem sie das darstellte, was er sich von einer Geliebten erhoffte. Sie ließ nicht zu, dass er sich langweilte, was genau das war, was er wollte.

Interessanterweise funktioniert es nicht nur in romantischer Hinsicht, ein idealer Liebhaber zu sein: Auch Politiker profitieren davon, wenn sie das widerspiegeln, was die Wähler wollen, wie im Fall von Präsident John F. Kennedy.

Der Dandy

Viele Menschen halten es für notwendig, Geschlechterrollen zu befolgen - männlich und kurzhaarig für Männer, weiblich mit langen Haaren für Frauen. Wir neigen dazu, von den Menschen fasziniert zu sein, die sich nicht an Geschlechterrollen halten und sich nicht typisch wie ein Mann oder eine Frau präsentieren. Ein femininer Dandy ist ein Mann, der oft mehr auf seine Kleidung, Haare und Figur achtet als die meisten Männer, aber dennoch etwas an sich hat, das gefährlich erscheint - und das ist sehr verlockend für Frauen.

Rudolph Valentino trug fließende Gewänder und viel Make-up für seine Rolle im Film „Der Scheich“, doch da er immer ein bisschen gefährlich wirkte, kam er bei Frauen gut an. Ein Dandy zu sein bedeutet nicht nur, sich von seiner weiblichen Seite zu zeigen, denn ohne einen Hauch von Risiko wirkt eine solche Person nicht verführerisch auf Frauen. Ebenso schafft ein weiblicher Dandy Aufregung und Verwirrung bei ihren potenziellen Liebhabern. George Sand war eine berühmte Frau, die auf übertriebene Art und Weise Männerkleidung trug.

Egal ob männlich oder weiblich, im Leben eines Dandys dreht sich alles um das Vergnügen, wozu auch wunderbares Essen und schöne Gegenstände gehören.

Der Charmeur

Um ein Charmeur zu sein, müssen Sie nur die Aufmerksamkeit von sich selbst auf Ihr Ziel lenken. Sorgen Sie dafür, dass sich die Person, mit der Sie zusammen sind, besser fühlt, weil Sie sich nicht mit ihr streiten oder sie nerven. Je mehr Sie dies tun, desto mehr Macht haben Sie über Ihr Gegenüber. Leider ist dieser Verführungstyp oftmals ein Verführer ohne Sex! Es gibt immer sexuelle Spannungen, doch diese werden nicht aufgelöst. Charmeure schmeicheln dem Selbstwertgefühl und der Eitelkeit anderer Menschen. Wenn die Stimmung unangenehm wird, dann bleibt der Charmeur ruhig.

Katharina die Große, die als junge deutsche Prinzessin nach Russland kam, nahm sich Zeit. Sie verzauberte den Hof, indem sie so tat, als hätte sie überhaupt kein Interesse an Macht. Pamela

Churchill (die zu dieser Zeit mit Winston Churchills Sohn verheiratet war) umwarb den wohlhabenden Witwer Averell Harriman. Obwohl die Hostessen in Washington DC ihr gegenüber zunächst misstrauisch waren, bezauberte sie auch diese. Sie wurde später eine bekannte Gastgeberin und Philanthropin.

Benjamin Disraeli verzauberte Königin Victoria, als er Premierminister war. Er schickte ihr Kopien von Berichten und machte ihr auch noch andere Zugeständnisse. Schließlich machte sie ihn zu einem Grafen. Er verstand, dass sie trotz ihres nüchternen Aussehens im Herzen eine Frau war, die sich nach Verführung in ihrem Leben sehnte.

Charmeure verzaubern andere Menschen, indem sie nicht viel über sich selbst sprechen. Sie wissen, auf welche Aspekte sie sich bei ihrer Zielperson konzentrieren müssen und machen dies auf subtile Art und Weise. Es ist nicht das harte, grelle Licht der Aufmerksamkeit, sondern eher ein angenehmes Leuchten, das dazu führt, dass sich eine Person umsorgt und besonders fühlt.

Der charismatische Verführer

Der charismatische Verführer besitzt eine innere Qualität, die eine intensive Präsenz schafft. Es handelt sich oftmals um ein intensives Selbstbewusstsein, kann jedoch auch Kühnheit oder innere Gelassenheit sein. Solche Menschen verraten nicht, woher sie dieses Selbstbewusstsein beziehen, doch andere Menschen fühlen sich von der Art und Weise angezogen, wie sich diese Qualität zeigt. Charismatische Verführer sind oftmals Anführer von größeren Menschengruppen, welche geleitet werden wollen. Charismatische Menschen spielen mit der unterdrückten Sexualität und ihre Anziehungskraft ist tatsächlich quasi religiöser Natur. Ihre Opfer sehen ihre außergewöhnliche Qualität als Zeichen Gottes an. Wie sonst könnten diese Menschen so charismatisch und einzigartig sein?

Ein Charismatiker neigt dazu, theatralisch zu sein und mit seinen Worten zu spielen. Er scheint nicht ganz ohne Risiko zu sein und steht für Abenteuer und Aufregung. Die intensiven Visionen von Jeanne d'Arc machten sie zu einer Charismatikerin. Rasputin verführte ganz Russland zu Beginn des 20. Jahrhunderts, insbesondere Zar Alexander und seine Frau. Rasputin versuchte niemals, seine Widersprüche herunterzuspielen, was der (höchst affektierte) Hof als völlig verlockend empfand. Elvis Presley hatte einige Dämonen in sich und als diese durch seine Musik präsent wurden, zeigten sie eine sexuelle Kraft. Er stotterte, was er jedoch nicht tat, wenn er auftrat.

Ein gutes Beispiel für einen politischen Charismatiker war der russische Kommunist Lenin. Er war nicht nur unglaublich selbstbewusst, sondern auch entschlossen und organisiert in seiner Arbeit. Er begeisterte die Arbeiterschaft, sich der Revolution anzuschließen. Der argentinische Radiostar Eva Duarte heiratete Juan Peron, der dann zum Präsidenten gewählt wurde. Obwohl sie von Seifenopern zu ernsteren Reden überging, berührte sie jeden, der ihr zuhörte. Ein anderer Charismatiker, der ein Meister der Sprache war, war Malcolm X. Er half einem lange unterdrückten Teil der Gesellschaft, seine Emotionen durch seine Reden und Handlungen zu befreien.

Ein erfolgreicher Charismatiker zu sein ist daran gebunden, erfolgreich zu sein. Sobald das Publikum glaubt, dass Sie verlieren, wendet es sich gegen Sie.

Der natürliche Verführer

Manche Menschen lassen sich leicht von einem Liebhaber verführen, der die Verspieltheit eines Kindes hat. Erwachsen zu sein kann sich ziemlich künstlich anfühlen, da man niemals seinem Chef oder sogar seinen Freunden die Meinung sagen darf. Natürlichkeit bei Erwachsenen ist verlockend. Ein natürlicher Verführer behält sein kindliches Inneres bei, doch wenn er sich überlegt, wen er wie verführen will, dann verhält er sich sehr erwachsen.

Charlie Chaplin stellte fest, dass er zahlreiche Frauen anzog, indem er seine Schwäche ausspielte. Er ließ die Leute sofort Sympathie für ihn empfinden und gab ihnen das Gefühl, ihm überlegen sein, was sehr verführerisch sein kann. Josephine Baker eroberte Paris im Sturm. Sie weigerte sich, einem Club treu zu bleiben und schaffte es so, dass Manager sie umschwärmten. Weil sie ihre Rollen mit einer solchen Leichtigkeit spielte, konnten die Pariser nie genug von ihr bekommen.

Der Star

Obwohl unser Leben nicht mehr böse, brutal und kurz ist, so kann es dennoch recht hart sein. Der Star bringt andere Menschen dazu, ihm zusehen zu wollen, obwohl er niemandem erlaubt, in seine Nähe zu gelangen. Ein Star bringt uns dazu, dass wir uns vorstellen, welch fantastisches Leben er führt, während er uns gleichzeitig an der kurzen Leine hält.

John F. Kennedy ließ Amerika raten, was er sich insgeheim dachte und lächelte nur. Seine Wirkung war absichtlicher und nicht zufälliger Natur. Marlene Dietrich war berühmt für die Kälte, die ihre Schönheit überlagerte und ihr Gesicht war wie eine leere Maske, auf die Regisseure alles projizieren konnten, was sie wollten.

Ein Star erscheint wie ein Mythos bzw. ein Traum, der zum Leben erweckt wird. Er vermeidet direkte Antworten und wirkt nicht real. Er erlaubt es seinen Fans, etwas über ihn zu erfahren, was diese paradoxerweise dazu bringt, mehr wissen zu wollen. Doch ein wahrer Star lässt niemanden alles über sich wissen, denn ein Teil seiner Anziehungskraft ist die Fantasie, die andere Menschen auf ihn projizieren.

Die Sirene

Dieser Typ ist normalerweise eine Frau - eine Sirene ist eine Verführerin. Sie hat ihren Namen von den Göttinnen, deren Lieder so süß waren, dass Seeleute mit ihren Schiffen gegen Felsen krachten und kenterten. Es handelt sich bei der Sirene um eine Frau, die Sex liebt und diesen dazu benutzt, um zu bekommen, was sie will.

Cleopatra ist ein berühmtes Beispiel für eine Sirene. Sirenen bieten Theater und Drama, die Männer begeistern. Sie verkörpern die Fantasien eines Mannes. Dabei haben sie es nicht nötig, traditionell attraktiv zu sein, um einen Mann in ihren Bann zu ziehen. Marilyn Monroe ist ein weiteres Beispiel für eine Sirene. Sie brachte sich selbst bei, verlockender auf Männer zu wirken und war sehr erfolgreich darin. Ihre charakteristische Stimme brachte die Männer dazu, sich ihr nähern zu wollen. Ein Hauch von Verletzlichkeit, der für sie ein Bedürfnis nach Zuneigung war, zog Männer in ihren Bann.

Eine Sirene bietet neben Vergnügen auch ein gewisses Risiko, was äußerst verlockend ist.

Der kokette Verführer

Dieser Verführer ist ein Meister (oder eine Meisterin) des Neckens. Er verspricht viel, liefert jedoch niemals die vollständige Befriedigung. Ein solcher Verführer lässt seine Liebhaber warten, bis er bereit ist und zögert die Befriedigung so lange hinaus wie er will.

„Wir sind nur von der Sache wirklich begeistert, die uns verweigert wird, von der Sache, die wir nicht vollständig besitzen können." - Robert Greene

Josephine brachte Napoleon Bonaparte dazu, sie besuchen zu kommen und schickte ihn danach weg, ohne ihn gesehen zu haben, was ihn sowohl wütend als auch neugierig machte. Warhol wurde dann berühmt, als er aufhörte, um Aufmerksamkeit anderer Menschen zu betteln und sich stattdessen von ihnen zurückzog. Kokette Verführer sind selbst nicht eifersüchtig, sondern erregen Eifersucht, indem sie einer dritten Person Aufmerksamkeit schenken, was ihre eigentliche Zielperson vor Verlangen ganz wild macht. Diese Verhaltensweise funktioniert auch bei Menschengruppen unglaublich effektiv, wie die Diktatoren Mao Zedong und Josef Tito bewiesen haben.

Um andere Menschen zu verführen, muss man ein gewisses Maß an Selbstsicherheit und Selbstvertrauen haben. Wenn Sie unsicher und zu verletzlich sind, wirkt dies abtörnend. Jeder Art von Verführung liegt ein bisschen sexuelle Spannung zugrunde, die bei einigen stärker und bei anderen weniger ausgeprägt ist. In der Lage zu sein, einen anderen Menschen zu verführen, bedeutet, ihn genau genug zu beobachten, um mit den Emotionen und Schwächen dieser Person zu spielen.

Zusammenfassung des Kapitels

- Im Laufe der Geschichte gab es alle Arten von Verführern und wenn Sie lernen, wie diese Personen andere Menschen anziehen konnten, kann Ihnen dieses Wissen dabei helfen, wenn Sie selbst ein guter Verführer werden wollen.
- Verführungsgemeinschaften kommen und gehen mit dem Zeitgeist und konzentrieren sich derzeit darauf, dass der Verführer für seine potenziellen Liebhaber attraktiver wird.
- Die Dunkle Triade der Verführung umfasst Narzissmus, Machiavellismus und Psychopathie. Moderate Ausprägungen dieser Merkmale sind vorteilhafter als intensive Prägungen.
- Obwohl wir häufig über Alpha-Männer sprechen, gibt es auch Alpha-Frauen, obwohl sich ihre Eigenschaften oft von denen ihrer männlichen Kollegen unterscheiden.
- Jeder, der seine Verführungstaktiken verbessern möchte, sollte die neun Archetypen der Verführer genauer analysieren und sich an ihnen orientieren.

Im nächsten Kapitel werden wir die Elemente diskutieren, die für eine erfolgreiche Verführung notwendig sind.

KAPITEL 3:

Die Elemente der Verführung

Lassen Sie uns die Kunst der Verführung noch ein wenig detaillierter erforschen. Sie werden wahrscheinlich nicht von jeder Person begeistert sein, die Sie kennenlernen, weil nicht jeder das gewisse Etwas hat, das notwendig ist, um verführerisch zu wirken. Wenn Sie jedoch von jeder Person, die Sie kennenlernen, begeistert sind, kann das zu einem Problem werden. Wenn Sie leicht verführt werden können, haben andere Menschen mehr Macht über Sie als sie sollten. Wenn Sie beispielsweise erkennen, was ein Lebemann tut, können Sie vermeiden, dass Sie schnell in den Bann dieser Person geraten.

Welche Eigenschaften haben Verführer, die andere Menschen nicht haben?

Wir können dieses „bestimmte Etwas" tatsächlich definieren. Es gibt eine Reihe von Verhaltensweisen bei den verschiedenen Arten von Verführern, die wir in Kapitel 2 besprochen haben. Alle diese Verführer haben jedoch tendenziell einige Eigenschaften gemeinsam. Da wir Menschen dazu neigen, uns von solchen Personen angezogen zu fühlen, die selbstbewusst und sympathisch wirken, scheint ein Verführer zumindest auch über diese Eigenschaften zu verfügen, da sonst seine Tricks nicht funktionieren würden. Verführer sind charismatisch und leidenschaftlich, glauben sehr an sich selbst und denken stets positiv. Egal was passiert, solche Menschen werden nicht leicht aus der Bahn geworfen.

Sie wissen inzwischen, dass wir Menschen kleine Herausforderungen mögen und es vorziehen, wenn wir den Preis nicht sofort erhalten. Eine Person, die zumindest ein bisschen schwer zu bekommen ist oder uns abwechselnd abstößt und uns dann wieder in ihre Nähe lässt, ist äußerst interessant. Verführer bewahren sich eine geheimnisvolle Aura. Wir finden diese Unerreichbarkeit faszinierend. Ist diese Person interessiert an uns? Ist sie es nicht? Aus diesem Grund kommen wir immer wieder zu ihr zurück, weil wir von dieser Person einfach nicht genug bekommen können. Ein Verführer scheint auch im Einklang mit seinen Zielen zu sein. Er scheint sensibler in Bezug auf die Bedürfnisse anderer Menschen zu sein und präsentiert manchmal die Lösung, bevor die Zielperson ihr Problem überhaupt erwähnt hat. Ein Verführer will sein Ziel kennenlernen, um dann die richtigen Knöpfe zu drücken. Die Zielperson fühlt sich als etwas Besonderes, weil der Verführer so viel Zeit und Aufmerksamkeit in sie investiert. Es kann auch sein, dass der Verführer die Schwachstellen seiner Zielperson aufdeckt, da er weiß, dass diese dadurch das Gefühl bekommt, sich auf irgendeine Art und Weise dafür erkenntlich zeigen zu müssen.

Weil er weiß, dass Menschen gerne geführt werden, ist die Stimme eines Verführers immer ruhig und kontrolliert. Ein Verführer liebt es, mit seinen Worten zu spielen, besonders mit suggestiven Worten. Außerdem besitzt ein Verführer die Kontrolle über die Bewegungen seines Körpers. Typischerweise sind die Gesten eines Verführers nicht leicht zu lesen bzw. zu durchschauen, da Verführer sorgfältig die Widersprüchlichkeit pflegen, von der andere Menschen so fasziniert sind. Verführer haben eine Menge Augenkontakt und können sehr aufmerksam sein, wenn sie ihre Zielperson auskundschaften.

Welche Menschen lassen sich leicht verführen?

Wenn es um romantische Beziehungen geht, so gibt es Frauen mit bestimmten Qualitäten, die in bestimmten Situationen leichter verführt werden können. Wenn sich der Verführer nun langweilt und verschwindet, was unvermeidlich ist, so führt dies bei diesen Frauen zu Herzschmerz. Sollten einige der folgenden Eigenschaften auf Sie zutreffen, dann seien Sie vorsichtig, wenn eine charmante Person Ihren Weg kreuzt.

Ständig unzufriedene Menschen

Eine Person, die sich immerzu beschwert und traurig ist, kann sehr leicht begeistert werden. Verführer lindern vorübergehend diese Traurigkeit, da sie sich für die Person, die traurig ist, interessieren und ihr das Gefühl geben, etwas Besonderes zu sein. Verführer sind auch großartig darin, das Bild einer besseren und romantischeren Welt zu malen, die natürlich viel toller ist als die Realität.

Wenn Sie eine solche Person sind, dann gibt es eine Reihe von Möglichkeiten. Entweder ändern Sie Ihre Realität oder Ihre Sichtweise. Zunächst einmal sollten Sie eine gewisse Art der Dankbarkeit haben. Wofür können Sie in Ihrem Leben dankbar sein? Was lieben Sie am meisten an Ihrem Leben? Die Realität kann leider nicht immer Friede, Freude, Eierkuchen sein. Doch je mehr Dinge Ihnen an Ihrem Leben gefallen und je mehr Dinge Sie ändern, die Sie nicht mögen, desto weniger brauchen Sie die Vorstellung einer Traumwelt. Ein Verführer wird für Sie weniger attraktiv sein, und zwar einfach deswegen, weil er Ihnen nicht wirklich all das bieten kann, was Sie wollen.

Menschen mit einer aktiven Vorstellungskraft

Verführer geben Signale ab. Ihre Handlungen sind Alarmzeichen für aufmerksame Menschen. Eine Zielperson mit einer lebhaften Fantasie erkennt jedoch nicht die offensichtlichen Warnhinweise dafür, dass es sich um einen Verführer handelt, der die Absicht hat, sie ins Bett zu bekommen und danach zu verlassen. Verführer produzieren Fantasien, die sich eine Person mit einer guten Vorstellungskraft leicht vorstellen kann. Die Zielperson kann von der Aussicht auf eine schöne Zukunft so verblendet sein, die der Verführer verspricht, sodass sie die Alarmzeichen ignoriert, die ihr sonst sagen würden, dass dies nicht passieren wird.

Da Verführer sehr eloquent sind, fällt es ihnen leicht, andere Menschen mit ihren Worten zu umgarnen.

Achten Sie darauf, dass Sie, wenn Sie wissen, dass Sie eine lebhafte Vorstellungskraft besitzen, dennoch aufmerksam in Bezug auf die Handlungen Ihres potenziellen Liebhabers sind und nicht nur darauf achten, was dieser sagt. Auf diese Weise können Sie die Alarmzeichen erkennen, wenn diese sichtbar werden.

Menschen, die typischerweise Alarmzeichen sowie die Meinung von Freunden und Familienangehörigen ignorieren

Ähnlich wie bei Menschen mit einer lebhaften Fantasie wurden Sie so sehr vom Charme eines Verführers in den Bann gezogen, dass Sie alle Alarmzeichen ignorieren, auf die Sie eigentlich achten sollten. Ein Beispiel hierfür wäre, dass Sie über Anhaltspunkte verfügen, die darauf hindeuten, dass Sie und der Verführer inkompatibel sind, weil Sie keine gemeinsamen Werte teilen oder weil der Verführer anscheinend nie das tun möchte, was Sie tun möchten. Ihre Freunde und/oder Familie warnen Sie vor den Alarmzeichen, die sie erkennen. Vielleicht kennen Ihre Freunde oder Familienangehörige Menschen, die von Ihrem Verführer auf eine falsche Fährte gelockt wurden oder sie haben ihn in Begleitung einer attraktiven Dame in der Stadt gesehen oder sie sehen deutlich, dass der Verführer Sie unglücklich macht. Oder es kann sein, dass sich Ihr Verhalten zum Schlechten gewendet hat. Ihre Freunde und Familienangehörige lieben Sie und wollen nur das Beste für Sie.

Es stimmt zwar, dass wir manchmal in einer Person Dinge sehen, die andere Menschen nicht in ihr sehen können und das ist nicht immer eine schlechte Sache. Doch wenn alle Menschen in Ihrem Umfeld dasselbe sagen, dann sollten Sie sich anhören, was sie zu sagen haben.

Gefallsüchtige Menschen

Die Realität ist, dass viele Menschen, insbesondere Frauen, von der Gesellschaft geprägt wurden, um anderen Menschen zu gefallen. Sie leben ihr Leben und glauben, dass ihr Wert als Mensch von externer Zustimmung abhängt. Aus diesem Grund ist es keine Überraschung, dass gefallsüchtige Menschen leicht in den Bann eines Verführers geraten. Wenn sich der Verführer zurückzieht, so wie er es nun einmal tut, wird ein gefallsüchtiger Mensch alles dafür tun, um die Bestätigung und die Aufmerksamkeit vom Verführer zurückzugewinnen. Andernfalls fühlen sich gefallsüchtige Menschen wertlos und haben das Gefühl, dass sie es nicht wert sind, geliebt zu werden.

Wenn Sie ein gefallsüchtiger Mensch sind, dann hilft es Ihnen immens weiter, an Ihrem Bedürfnis nach externer Bestätigung zu arbeiten und nicht nur daran, Verführer abzuwehren oder zu ignorieren. Sie sind es wert, geliebt zu werden, egal was andere Leute sagen und Sie müssen sich in erster Linie selbst lieben. Erst wenn Sie dies erreicht haben, sollten Sie nach einem Lebenspartner suchen. Werfen Sie einen Verführer aus Ihrem Leben, wenn dieser sich zurückzieht und suchen Sie sich jemand anderen.

Menschen, die bereit dafür sind, Sex zu benutzen, um Liebe zu finden

Eine Person mit einem geringen Selbstwertgefühl ist oft bereit dafür, zu früh Sex zu haben, weil sie die Hoffnung hat, dass diese Verhaltensweise zu Liebe führt. Doch wenn Sie es mit einem Verführer zu tun haben, dann stehen Sie am Ende mit einem gebrochenen Herzen da, weil der Verführer nur auf Sex aus war.

Oxytocin ist ein Neurotransmitter, der zwischenmenschliche Bindungen fördert und bei Frauen freigesetzt wird, wenn sie Sex haben. Es kann sein, dass Frauen sich mit dem Mann verbunden fühlen, mit dem sie gerade Sex hatten. Der Mann fühlt sich jedoch überhaupt nicht dafür bereit, mit der Frau eine Beziehung einzugehen. Wenn Sie ein solcher Mensch sind, dann entscheiden Sie genau, mit wem Sie Sex haben. Fragen Sie sich, was passieren wird, wenn Sie Sex mit einer bestimmten Person haben und mit dieser Person keine Beziehung eingehen. Wenn Sie die Konsequenzen nicht mögen, dann vermeiden Sie es, mit dieser Person ins Bett zu gehen.

Menschen, die schlechte Kompromisse für eine Beziehung eingehen

Neue Menschen in Ihrem Leben führen zu neuen Abenteuern und das ist keine schlechte Sache. Wenn Sie jedoch feststellen, dass Sie gegen Ihre eigenen Werte verstoßen, um mit jemandem zusammen zu sein, ist dies eine schlechte Sache.

Bringt Ihr neuer Partner Sie dazu, zu viel Geld auszugeben? Oder bringt er Sie dazu, zu schnell Sex zu haben, bevor Sie sich wirklich damit wohlfühlen? Machen Sie jede Nacht Party, sodass Sie morgens Schwierigkeiten haben, aus dem Bett zu kommen und zur Arbeit zu gehen? Geben Sie sich mit Menschen ab, mit denen Sie sonst aufgrund ihrer schlechten Eigenschaften/Gewohnheiten nichts zu tun hätten? Wenn ja, dann ist es besser, Single zu sein als die Beziehung zu führen, die Sie gerade führen.

Menschen, die zu lange in einer Beziehung bleiben

Ist Ihre Beziehung offensichtlich dysfunktional? Wenn Sie ständig mit Ihrem Partner streiten oder in Konflikt geraten, dann gibt es keinen Grund mehr dafür, um in dieser Beziehung zu bleiben. Manche Menschen tun dies aus Angst, Single zu sein. Doch ist das wirklich schlimmer, als bei jemandem zu bleiben, der Ihr Selbstwertgefühl schädigt und Sie in keiner Weise unterstützt?

Auch in diesem Fall ist es besser, Single zu sein. Lassen Sie nicht zu, dass Ihr Verlangen nach Liebe und Zuneigung Ihren Blick auf die Realität trübt.

Die Zeichen der Verführung

Möglicherweise haben Sie sich selbst in der obigen Liste wiedererkannt. Doch auch wenn Sie selbst nicht leicht zu verführen sind, so kann es dennoch passieren, dass Sie in den Bann eines Verführers gezogen werden. Hier sind einige Signale, auf die Sie achten sollten:

Zunächst einmal stimmen Sie der Verführung zu (wenn es keine Zustimmung gäbe, wäre es eine Vergewaltigung.) Wir beschuldigen hier nicht die Opfer. Der Schlüssel zur Verführung einer anderen Person besteht darin, dass der Verführer Täuschungs- und Manipulationstechniken einsetzt, um diese Zustimmung zu erhalten. Sie haben diese Zustimmung nicht bewusst gegeben, da der Verführer seine wahren Absichten vor Ihnen versteckt hat. Sie hätten ansonsten wahrscheinlich nicht zugestimmt, wenn der Verführer Ihnen gleich die Wahrheit gesagt hätte.

Es kann zum Beispiel sein, dass Sie dem Sex nicht zustimmen, es sei denn, Sie glauben, dass die andere Person in Sie verliebt oder zumindest bereit dafür ist, eine langfristige Beziehung mit Ihnen einzugehen. Wenn Sie dies wissen und wenn Sie ebenfalls wissen, dass die andere Person nur Sex wollte, dann hat der Verführer es wahrscheinlich geschafft, Sie glauben zu lassen, dass er eine Beziehung mit Ihnen eingehen will. Wenn Sie gewusst hätten, dass der Verführer nur Sex will, dann hätten Sie nicht zugestimmt, mit dieser Person ins Bett zu gehen.

Der Verführer interessiert sich nicht wirklich für die Zielperson und möchte lediglich sein Ego pushen bzw. sein persönliches Verlangen stillen. Wenn ein Verführer an Ihnen interessiert zu sein scheint, um Sie ins Bett zu bekommen, dann interessiert er sich in Wirklichkeit nur für sich selbst. Es kann sein, dass dies etwas schwieriger zu erkennen ist, da die meisten Verführer dazu in der Lage sind, Interesse vorzutäuschen. Oder sie sind wirklich an Ihnen interessiert, weil sie herausfinden möchten, welche Knöpfe sie bei Ihnen am besten drücken müssen.

Achten Sie auf die Handlungen des Verführers. Erinnert er sich an die kleinen, unwichtigen Details, die Sie zu der Person machen, die Sie sind und die nichts mit Sex zu tun haben? Oder besteht das Interesse des Verführers hauptsächlich darin, herauszufinden, was Sie verzaubert und verführt? Wenn er über andere Menschen spricht, macht er dies dann, um sich einen Vorteil zu verschaffen oder interessiert er sich wirklich für diese Menschen? Gibt es andere narzisstische Tendenzen, die Sie beobachten? Es ist unethisch, jemanden zu täuschen, um das zu bekommen, was Sie wollen, doch viele Verführer verwenden diesen Trick, insbesondere im Dating-Bereich, in dem generell angenommen wird, dass Männer nur eine Sache wollen und Frauen eine andere. Das ist nicht unbedingt wahr. In einer vollkommen ethischen Welt haben beide Seiten die gleichen Informationen und die Zustimmung ist gegenseitiger Natur. Dies ist jedoch nicht die Welt, in der wir leben.

Das dreistufige Modell: Anziehung, Komfort und Verführung

Die erste Sache, die der Verführer tun muss, besteht darin, sein Ziel anzuziehen. Da ein Verführer dazu neigt, charismatisch und interessant zu sein, ist dieser Teil normalerweise kein Problem! Er weiß, wie er sich von der Masse abhebt und wie er andere Menschen dazu bringt, auf ihn zu achten. Hier beginnt die Verführung, bevor er sich überhaupt der Person nähert, an der er interessiert ist. Alle Augen sind auf den Verführer gerichtet, wodurch er beliebt und selbstbewusst wirkt. Sobald ein Verführer direkten Kontakt aufgenommen hat, fühlt sich die Zielperson interessant und geschmeichelt. Da Verführer ihre Zielpersonen oftmals direkt ansprechen, wirken sie mutig. Wir Menschen mögen Personen, die Risiken eingehen, weil solche Personen rar sind.

Oder aber der Verführer probiert den indirekten Ansatz aus, der darin besteht, eine (scheinbar) zufällige Frage zu stellen. Dieses Manöver ist so konzipiert, dass Sie und der Verführer problemlos ins Gespräch kommen. Unabhängig davon, ob der Verführer den indirekten oder den direkten Ansatz verwendet: Er nutzt wahrscheinlich seine Eloquenz, seinen Charme und seinen Humor, weil er weiß, dass diese Eigenschaften anziehend auf andere Menschen wirken. Manchmal beginnen Verführer, insbesondere Männer, ein Gespräch mit einer Frau, an der sie nicht interessiert sind. Sobald ein Mann mit einer Frau spricht, insbesondere mit einer attraktiven Frau, dann kann es sein, dass sich auch andere Frauen für ihn interessieren. Interessanterweise weiß man, dass auch andere Tierarten diese „Partnerwahlkopie"[13] durchführen, bei der die Weibchen einer Tierart andere Weibchen kopieren, um ein bestimmtes Männchen für die Paarung auszuwählen. Doch der Verführer darf nicht gleich zu Beginn alle Karten auf den Tisch legen. Niemand möchte, dass einem der Preis auf dem Silbertablett präsentiert wird. Sobald ein Verführer das Ziel ins Visier genommen hat, zieht er sich zurück. Dies ist verwirrend und faszinierend zugleich, was die Aufmerksamkeit der Zielperson auf sich zieht. Die Beziehung setzt sich im Laufe der Zeit fort, da die Verführung normalerweise nicht sofort stattfindet. Um das Interesse hoch zu halten, muss der Verführer eine gewisse emotionale Spannung aufrechterhalten. Er muss die Zielperson dazu bringen, dass sie immer mehr von ihm will.

Als Nächstes wird die Beziehung aufgebaut. Der Verführer muss eine angenehme Stimmung herstellen sowie das Vertrauen der Zielperson gewinnen, bevor diese verführt werden kann. Mehr Augenkontakt gibt der Zielperson das Gefühl, dass der Verführer an ihr interessiert ist. Der Verführer kann sich der Zielperson auch körperlich nähern, um die persönliche Distanz zu verringern. Der Verführer nutzt nicht nur Witz, sondern auch die Macht der Berührung, jedoch zunächst nicht auf sexuelle Weise. Doch wir Menschen reagieren selbst nach einer kurzen Handbewegung mit

[13] https://journals.sagepub.com/doi/full/10.1177/147470491201000511

Vertrauen. Körperliche Berührungen fördern die Bindung zwischen zwei Menschen. Das Gehirn setzt bei körperlichen Berührungen Neurotransmitter, wie Oxytocin, frei. Dieses Hormon kennen wir bereits als „Bindungshormon".

Die körperlichen Berührungen sowie der Aufbau einer Beziehung dauern bis zur und auch während der Verführung an, um das Maß an Vertrauen aufrechtzuerhalten, das erforderlich ist, damit die Zielperson dem Sex zustimmt. Die Entscheidung muss auf emotionaler und nicht auf logischer Ebene getroffen werden. Der Verführer benutzt hierzu Wörter und seine Körpersprache, um eine emotionale Anziehungskraft zu erzeugen sowie eine emotionale Beziehung zur Zielperson aufzubauen. Es handelt sich nicht um eine Art von Vertrauen, die auf ähnlichen Erfahrungen oder Werten beruht, sondern auf einem ähnlichen Motiv. Sowohl die Zielperson als auch der Verführer müssen sich in einer physischen und romantischen Beziehung befinden (bzw. es reicht, wenn der Verführer so tut, als ob).

Zusammenfassung des Kapitels

- Verführer haben Eigenschaften, die sie von anderen normalen Menschen abheben, auch wenn ihr Charme und ihre Ausstrahlung oberflächlich sind.
- Manche Menschen lassen sich leicht verführen, weil sie mit ihrem Leben unzufrieden sind oder andere unerfüllte Bedürfnisse haben, die ein Verführer ausnutzen kann.
- Anzeichen einer Verführung sind Einwilligungen, die auf Gegenseitigkeit zu beruhen scheinen, dies jedoch aufgrund der Täuschung des Verführers nicht tun.
- Das Modell der Verführung umfasst die drei Hauptphasen Anziehung, Komfort und Vertrauensbildung sowie die Verführung selbst.

Im nächsten Kapitel lernen Sie die Regeln des Verführungsspieles kennen.

KAPITEL 4:

Die Regeln des Spieles

Die Kunst (und Wissenschaft) der Verführung ist ein Spiel mit zwei Hauptakteuren. Es können jedoch auch einige Nebenakteure involviert sein. Wenn ein Mann ein Gespräch mit einer Frau initiiert, die er nicht zu verführen versucht, aber dadurch eine andere Frau anziehen möchte, die er verführen will, sind Nebenakteure beteiligt. Typischerweise gehören zu einem romantischen Spiel zwei Personen.

Spielarten

Es gibt drei Haupttypen von Spielen, die gespielt werden können, zumindest wenn es um das Thema sexuelle Verführung geht.

1. Direktes Spiel

Der direkte Gesprächsöffner, über den ich im letzten Kapitel gesprochen habe, wird am häufigsten für diese Art von Spiel verwendet. Hier geht der Verführer offen damit um, sich seinem Ziel nähern zu wollen. Er benutzt keine anderen Frauen, um das eigentliche Ziel zu bekommen, sondern geht direkt auf seine Zielperson zu und teilt dieser so mit, dass er sich von ihr angezogen fühlt. Dies bedeutet nicht unbedingt, unhöflich zu sein, sondern drückt lediglich sein Interesse aus. Für solche Menschen, die eine Ablehnung fürchten, scheint dies eine schreckliche Aufgabe zu sein. Doch weil Sie durch diese Verhaltensweise wie ein mutiger Mensch wirken, der Risiken eingeht, wird die Zielperson Ihr Verhalten wahrscheinlich attraktiv finden.

Diese Technik bedeutet auch weniger Manipulation und weniger Wissen in Bezug auf die menschliche Natur, da Sie nicht versuchen, schlau zu sein oder menschliche Eigenschaften zu Ihrem Vorteil nutzen. Irgendwann müssen Sie wahrscheinlich sowieso direkt vorgehen. Vor allem, wenn Sie „die Sache abschließen", also Sex haben wollen.

2. Indirektes Spiel

Spielen Sie hingegen ein indirektes Spiel, lassen Sie die Zielperson erst dann wissen, dass Sie sich von ihr angezogen fühlen, wenn diese Ihnen gegenüber bereits eine gewisse Zuneigung gezeigt hat. Auf diese Weise überspringen Sie das Risiko einer Ablehnung, die immer eine Möglichkeit des direkten Spieles ist. Es handelt sich um ein Strategiespiel, bei dem Sie Ihre Zielperson auskundschaften, um Dinge über sie zu erfahren und schließlich Sex mit ihr zu haben. Sobald Sie ein wenig mehr von sich gezeigt haben, um Ihre Zielperson zu faszinieren, wird sie ebenfalls mehr über sich erzählen. Sie können testen, ob die Zielperson tatsächlich an Ihnen interessiert ist, bevor Sie sie wissen lassen, dass Sie sexuell an ihr interessiert sind.

Das Problem bei dieser Art von Spiel besteht darin, dass es normalerweise sowieso eine sexuelle Spannung zwischen den beiden Geschlechtern gibt. Wenn Sie sich für die indirekte Technik entscheiden, müssen Sie sich selbst steuern und kontrollieren, damit die Zielperson sich Ihres sexuellen Interesses an ihr nicht bewusst ist. Jedoch müssen Sie die Spannung auf einem solch hohen Niveau halten, dass Sie attraktiv auf die Zielperson wirken und anschließend das Komfortniveau erhöhen können.

3. Soziales Spiel

Wenn Sie das soziale Spiel anwenden, müssen Sie einige menschliche Marotten kennen, um sie als Hebel gegenüber der Zielperson einsetzen zu können. Hier könnte die „Partnerauswahl-Kopie"-Technik zum Einsatz kommen. Idealerweise sollten Sie einen Veranstaltungsort in Begleitung mehrerer anderer Personen betreten, damit sich Ihre Zielperson fragt, wer Sie wohl sind. Sie müssen keinen hohen gesellschaftlichen Status haben, um eine Person zu verführen. Sie müssen jedoch selbstbewusst sein und Kontakte knüpfen können.

Wer sind die Spieler des Spieles?

In Kapitel 2 habe ich die verschiedenen Arten von Verführern erklärt. Es gibt auch verschiedene Arten von Opfern. Im Allgemeinen fehlt den Opfern etwas, was ein Verführer ausnutzen oder zu seinem Vorteil nutzen kann. Der Verführer muss jedoch darauf achten, dass er seine Zielperson richtig liest. Die meisten von uns verheimlichen ihre Schwächen und Schwachstellen oder versuchen zumindest, diese zu verbergen. Ein Mensch, der knallhart und stark wirkt, kann in Wirklichkeit ein weiches Herz haben.

Einige Opfer sind in Wirklichkeit ehemaliger Verführer, die aufgrund familiärer oder anderer Belastungen aufhören mussten. Sie könnten aufgrund dieser Veränderung verärgert oder traurig sein, weil sie es vermissen, andere Menschen verführen zu können. Wenn Sie solche Menschen verführen, achten Sie darauf, dass diese Menschen denken müssen, dass sie diejenigen sind, die Sie verführen und nicht umgekehrt. Andere Verführer haben sich ihr Leben lang ausgetobt und fühlen sich nun erschöpft. Solche Menschen können leicht von einer Person verführt werden, die jung und unschuldig erscheint, weil dies Erinnerungen an ihre eigene Jugend weckt.

Eine Zielperson, die einen Fetisch für exotische Dinge hat, fühlt eine innere Leere in sich und möchte diese füllen. Ein exotischer Verführer ist in einem solchen Fall genau das Richtige, besonders wenn Sie etwas übertreiben. Menschen, die sich in ihrem Leben langweilen, füllen es mit Drama. Jagen Sie also keiner Drama-Königin mit dem Versprechen nach Sicherheit und Geborgenheit nach. Andere Opfer können Menschen mit einer ausschweifenden Fantasie sein, die der Ansicht sind, dass die Realität einfach nicht ihren Vorstellungen entspricht. Verwöhnte Kinder brauchen Neuheiten und eine feste Hand, die ihre Eltern ihnen nie gegeben haben. Eine Zielperson, die nicht erwachsen werden will und keine Verantwortung übernehmen möchte, sucht nach einem Elternteil.

Jemand, der einst ein Star war (Sportler, Student, Schauspieler, was auch immer) und der jetzt eine triste Existenz führt, wird absolut entzückt sein, wenn ihm eine andere Person Aufmerksamkeit schenkt. Ebenso macht sich jemand, der schön oder besonders attraktiv ist, immer Sorgen darüber, dass er dieses Aussehen einmal verlieren wird. Sie können solche Menschen verführen, indem Sie ihr Äußeres loben, jedoch auch einer anderen Sache (wie Intelligenz, Witz oder Persönlichkeit) Aufmerksamkeit schenken, was vorher noch nie jemand getan hat. Vielleicht finden Sie eine Zielperson, die sich so verhält, als wäre sie unschuldiger als Neuschnee. Doch tief in ihrem Inneren hat sie Angst vor dem Gedanken an verbotene Freuden im Schlafzimmer. Andere Menschen machen sich darüber keine Illusionen, wollen jedoch diese Dinge ausprobieren, die sie noch nicht kennen.

Menschen, die machtgierig sind, müssen ein wenig Energie freisetzen. Aus diesem Grund funktioniert es sehr gut, sie zu necken. Einige Anführer sind wirklich mächtig, doch insbesondere, weil sie andere Menschen lenken und steuern, brauchen sie jemanden, der ihre Schutzmauern niederreißt und ihre Isolation beendet. Andere verbergen ihr Bedürfnis nach Macht unter dem Deckmantel, ein regelrechter Retter zu sein. Andere Zielpersonen haben möglicherweise so viel Zeit mit Nachdenken verbracht und an ihrer (wahrgenommenen) geistigen Überlegenheit gearbeitet, sodass eine physische Verführung eine Erleichterung für sie darstellt. Solche Menschen neigen auch dazu, tief in ihrem Inneren unsicher zu sein, sodass Sie sich deren Unsicherheit zunutze machen können. Die innere Leere einiger Menschen ist so groß, dass sie versuchen, diese mit der Verehrung einer bestimmten Sache, einer Religion oder einem Idol zu füllen. Ihre Gedanken sind mehr als aktiv, gleichzeitig sind sie jedoch auch körperlich gesehen unterstimuliert. Eine Person, deren Sinne überreizt sind, braucht tatsächlich mehr sinnliche Freuden, da sie dazu neigt, schüchtern zu sein.

Wenn eine Person geschlechterfluide ist, dann sucht sie höchstwahrscheinlich nach einer anderen geschlechterfluiden Person, um einige ihrer unterdrückten Wünsche zu wecken.

Ist Verführung ethisch verantwortlich?

In einigen Staaten der USA waren früher zumindest bestimmte Arten der (sexuellen) Verführung illegal.[14] Eine Verführung war beispielsweise strafbar, wenn ein Mann eine Frau durch das Eheversprechen getäuscht oder andere Tricks angewendet hat und die Frau unter 25 Jahre alt, noch Jungfrau war oder der Mann ein bestimmtes Lebensalter überschritten hat. In der modernen Welt haben Frauen jedoch mehr Entscheidungsfreiheit und aus diesem Grund ist Verführung kein Verbrechen mehr. Obwohl viele Leute dies immer noch als unmoralisch ansehen, so gibt es definitiv ein Argument für ethische Verführung.

Es ist wichtig, grobe Lügen und falsche Eindrücke zu vermeiden. Wenn Sie nicht die Absicht haben, Ihren Schwarm zu heiraten, dann versprechen Sie dieser Person keine Hochzeit. Erwecken Sie auch nicht den Eindruck, dass Sie bereit dafür sind, eine Hochzeit in Betracht zu ziehen. Wenn Sie versuchen, jemanden zum Sex mit Ihnen zu bringen, dann machen Sie deutlich, dass Ihr eigentliches Ziel nur Sex ist und weder der Gang zum Traualtar noch eine langfristige Beziehung eine Option ist. Dies ist nicht nur die ethische Methode, sondern verkürzt auch den Prozess, Ihr Gegenüber ins Bett zu bekommen. In der Populärkultur hat eine Frau, die als Ehefrau infrage kommt, erst zu einem späteren Zeitpunkt in der Beziehung Sex. Wenn sie weiß, dass eine Ehe nicht infrage kommt, dann muss sie sich auch nicht wie eine zukünftige Ehefrau verhalten und auch nicht ständig den Sex verwehren. Wenn Sie diese

---

[14] https://www.britannica.com/topic/seduction

Frau nicht sehr gut kennen, wie können Sie dann wissen, ob sie überhaupt die Frau ist, die Sie heiraten wollen? Es ist unehrlich, sich sofort so zu verhalten, als käme sie als Ehefrau in Betracht, da man sich zuerst besser kennenlernen muss.

Eine offensichtlich unmoralische Art, um jemanden zu verführen, besteht darin, Ihre Macht bzw. Ihren Status zu nutzen. Die „Casting-Couch“ in Hollywood ist unethisch, obwohl sie oftmals benutzt wurde. Wenn Sie der Chef einer Person sind und verlangen, dass diese mit Ihnen ins Bett geht, um ihren Job zu behalten, dann handelt es sich hierbei auf keinen Fall um eine Verführung. Es ist ein reines Machtspiel, das nichts Verlockendes an sich hat.

Was wäre, wenn Sie die Dinge richtig machen würden? Wenn Sie Ihren Partner als vollständigen Menschen behandeln würden, zu dem Sie sich hingezogen fühlen? Jeder findet diesen Ansatz charmant. Es ist nicht manipulativ, wenn Sie wissen, worauf die Person Ihrer Begierde reagiert, weil dies jeder tut. Dieses Machtverhältnis ist ebenbürtig - die meisten Menschen verstehen diesen Aspekt der menschlichen Natur ziemlich schnell zu Beginn ihrer Dating-Karriere, wenn sie ihn nicht bereits zuvor kennen. Auch bei der ethischen Verführung können Sie flirten und Ihr Objekt der Begierde necken, wenn beide Partner Spaß daran haben. Der Verführer macht jedoch deutlich, wonach er sucht, die Zielperson nimmt diese Signale auf und reagiert dementsprechend. Wenn die Reaktion positiv ist, kann der Verführer nun die entsprechenden Schritte unternehmen, um das Objekt seiner Begierde ins Bett zu bekommen. Wenn die Reaktion jedoch negativ ist, dann kann sich der Verführer eine andere Zielperson suchen und von Neuem beginnen.

Jeder, der an dieser Art der Verführung beteiligt ist, hat realistische Erwartungen an das, was passiert. Niemand wird verletzt, weil keine falschen Hoffnungen bestehen, die mit der Realität in Konflikt geraten. Beide Parteien fühlen sich zueinander hingezogen. Es gibt keinen Grund, die Attraktivität durch Spielchen zu steigern. Die Zustimmung wird gegenseitig erteilt, da beiden Parteien klar ist, was erwartet wird.

Wo verläuft die Grenze?

In der Online-Verführungscommunity haben einige Männer keine Lust dazu, „Aufreiß-Künstler“ zu sein, also Männer, die Sex mit Frauen haben und diese dann fallen lassen, nur weil sie es können. Diese Männer suchen lediglich nach Dating-Ratschlägen, damit sie bessere Dates und mehr Sex haben können. Das ist nicht unbedingt unmoralisch oder unethisch. Doch wo sollte eine Grenze gezogen werden? Einige der Verführungstechniken stammen aus dem NLP-Bereich (Neurolinguistische Programmierung), welcher die Kommunikationstechniken verbessern soll. NLP-Techniken werden oftmals als betrügerisch und manipulativ angesehen, weil die Menschen, die diese Techniken benutzen, nicht offen damit umgehen. Ist es Missbrauch, wenn Sie ein guter Verführer sind und dies zu Ihrem Vorteil nutzen? Wie oben erwähnt, kann Verführung manipulativ sein und destruktive Konsequenzen haben.

Sexuelle Belästigung tritt sowohl bei männlichen als auch bei weiblichen Vorgesetzten auf. Wenn der Arbeitgeber seine Macht benutzt, um einen Mitarbeiter zum Sex zu zwingen, dann hat dies etwas mit Zwang zu tun und nichts mit Verführung.

Zusammenfassung des Kapitels

- Es gibt drei Arten von verführerischen Spielen: Direkte, indirekte und soziale Spiele. Jedes dieser Spiele hat Vor- und Nachteile und besitzt eigene Techniken.
- Es gibt viele verschiedene Arten von Menschen, die leichte Ziele von Verführern werden können, insbesondere dann, wenn diese Verführer die menschliche Natur verstehen und erkennen, ob einem Menschen etwas in seinem Leben fehlt.

- Verführung muss nicht manipulativ und betrügerisch sein, solange der Verführer seine Absichten eindeutig mitteilt.
- Die Nutzung der eigenen Macht und des eigenen Status, um andere Menschen zum Sex zu zwingen, ist eine klare Grenze zwischen Verführung und mangelnder Zustimmung.

Im nächsten Kapitel lernen Sie die Kunst der Verführung kennen.

KAPITEL 5:

Die Kunst der Verführung

Jeder, der sich die Zeit dafür nimmt, diese Kunst zu erlernen, kann ein Meister (bzw. eine Meisterin) der Verführung werden. Die Kunst der Verführung kombiniert das Wissen über die menschliche Natur mit historischen Erfahrungen, die jahrhundertelang gesammelt wurden. Sie müssen den Typ des Verführers kennen, dem Sie am ähnlichsten sind und die Strategien erforschen, die für Sie und Ihren spezifischen Typ funktionieren. Wenn Sie sich also in einem der in Kapitel 3 beschriebenen Opfertypen wiedererkannt haben, dann wählen Sie solche Menschen nicht als Ihre Zielpersonen aus!

Eine Einführung in die Techniken der Verführung

Menschen mögen Rätsel und Unsicherheit. Rätsel und Unsicherheit faszinieren uns und wir wollen herausfinden, was als Nächstes passiert. Wenn Sie Ihre Zielperson richtig ausgewählt haben, dann wird diese Ihr Bestes geben, um Ihr Geheimnis zu lüften und Sie zu bekommen. Wettbewerb ist zudem auch verführerisch. Entwickeln Sie ein gewisses Charisma, sodass Ihre Zielperson nicht genug von Ihnen bekommen kann. Sie müssen selbstbewusst wirken, denn Selbstbewusstsein ist eine weitere Eigenschaft, die andere Menschen fasziniert. Ziehen Sie sie in Ihren Bann, doch lassen Sie sie nicht zu nahe an Sie heran. Eine gewisse Distanz gibt Ihnen eine mythische Aura, die Sie kultivieren sollten.

Seien Sie der Held bzw. die Heldin eines großen Dramas, doch denken Sie daran, dass Helden den einfachen Leuten nicht zu nahe kommen können. Bleiben Sie so lange wie möglich auf diesem Podest stehen. Tun Sie so, als wäre Ihre Macht angeboren und als ob Sie ein wahres Geschenk Gottes seien. Harte Arbeit und Disziplin sind ebenfalls von großem Vorteil, wenn es um Verführung geht. Verraten Sie nicht, dass Sie geübt und gelernt haben. Ganz egal, welcher Verführungstyp Sie auch sein mögen: Sie wollen, dass es so aussieht, als würde Ihnen die Verführung absolut mühelos erscheinen. Schließlich kann jeder hart arbeiten, um ein Ziel zu erreichen, doch nicht jeder kann ein erfolgreicher Verführer sein. Erfolgreiche Verführer sind rar und besitzen eine große Präsenz, von der sich andere Menschen angezogen fühlen. Diese können den Verführer jedoch nicht unbedingt erreichen bzw. erst dann, wenn der Verführer dies zulässt. Irgendwann sollten Sie einen Hauch von Verletzlichkeit zeigen, jedoch nur einen Hauch, denn wenn Sie wirken, als hätten Sie Unterstützung oder Hilfe nötig, dann törnt dies die meisten Menschen sofort ab. Auf diese Weise fühlt sich die Zielperson als etwas Besonderes, weil sie diejenige ist, die ein Stück des Verführers erhaschen durfte.

Der Schlüssel der Verführung liegt in Ihrer Fähigkeit, charismatisch zu sein, auch wenn Sie nicht unbedingt von Natur aus charismatisch sind. Sie müssen selbstbewusst sein und so tun, als hätten Sie einen Plan. Seien Sie geheimnisvoll genug, sodass andere Leute von Ihnen fasziniert sind. Lassen Sie sie an sich heran und stoßen Sie sie danach wieder zurück. Sorgen Sie dafür, dass die Zielperson dafür arbeiten muss, von Ihnen verführt zu werden, weil wir Menschen die Dinge, die wir umsonst bekommen, nicht zu schätzen wissen.

Die Phasen der Verführung sowie die jeweiligen Techniken

Wir haben den gesamten Ablauf der Verführung besprochen: Anziehung, Komfort und Aufbau von Beziehungen sowie die Verführung selbst. Lassen Sie uns nun detaillierter auf die verschiedenen Verführungsphasen eingehen und über die Strategien sprechen, die mit jeder dieser Phasen einhergehen.

Isolieren Sie die Zielperson aus ihrer Gruppe und sorgen Sie für Begierde und Anziehungskraft

Sie müssen Ihr Ziel sorgfältig auswählen, um sicherzustellen, dass dieser Mensch zu Ihrem Verführungstypus passt und dass Sie die innere Leere füllen können, die dieser Mensch tief in seinem Inneren fühlt. Ignorieren Sie die Menschen, die sich nicht zu Ihnen hingezogen fühlen bzw. an die Sie nicht herankommen, weil solche Menschen nur Zeitverschwendung sind. Zeigen Sie, dass Sie der Verführer sind, indem Sie wählerisch sind. Es mag eine Reihe von Menschen geben, die offen für Ihre Reize zu sein scheinen, doch Sie müssen nicht das erste Angebot annehmen. Dies wäre ein Schritt, der auf Unsicherheit und nicht auf Selbstvertrauen beruht und der letztlich nach hinten losgehen wird. Sie könnten jemanden wählen, der schüchtern erscheint, weil solche Menschen oftmals gut auf Annäherungsversuche reagieren und gerne ausgewählt werden möchten. Ihre Zielperson sollte nicht zu beschäftigt sein. In diesem Fall müssten Sie zu viel Arbeit investieren. Zudem wird eine solche Person keine Zeit mit Ihnen verbringen können, die Sie jedoch benötigen, um bei Ihrer Verführung erfolgreich zu sein.

Sobald Sie ein gutes Ziel ausgewählt haben, das für Sie bereit ist, beginnen Sie damit, eine Unterhaltung zu initiieren. Erfahren Sie einige Informationen über Ihre Zielperson, damit Sie diese Informationen bei einem späteren Zeitpunkt verwenden können, insbesondere kleine Details über ihre Jugend oder Kindheit oder etwa eine Sache, die Sie zum Ausrasten bringt. Sobald sich die Person wohlfühlt, mit Ihnen zu sprechen, können Sie einen ungewöhnlichen oder überraschenden Vorschlag machen - einen Vorschlag, der sie fasziniert. Sie sollten dieser Person zunächst nicht zu viel Aufmerksamkeit schenken. Denken Sie daran, wie attraktiv eine gewisse Distanz wirken kann. Sobald Sie eine Unterhaltung initiiert und die Person fasziniert haben, soll die Person auf Sie zukommen. Ihr Objekt der Begierde soll sich wie der Verführer fühlen, nicht wie der Verführte. Dadurch, dass Sie sich ein wenig zurückziehen, können Sie zudem dafür sorgen, dass die Zielperson ihre Fantasie nutzt. Das ist verlockender, als ihr alles auf dem Silbertablett zu präsentieren. Senden Sie gemischte oder mehrdeutige Signale. Für die meisten Menschen wirken Sie auf diese Weise interessanter. Sie müssen der Zielperson auch klar machen, dass Sie ein komplexer Mensch sind, den sie nicht bei einem einzigen Treffen voll und ganz durchschauen kann. Ihre Zielperson muss Sie besser kennenlernen, um diesen faszinierenden und mysteriösen Menschen, der Sie sind, zu verstehen. Wenn Sie sich als unschuldig und engelsgleich präsentieren, dann müssen Sie gleichzeitig einen Hauch von Risiko oder Gefahr aussenden, damit Ihr Objekt der Begierde weiterhin an Ihnen interessiert ist.

Wenn Sie sich ein wenig arrogant verhalten, kann dies sehr große Erfolge nach sich ziehen. Wenn Sie an einer bestimmten Person interessiert sind, flirten Sie mit ihrem Freund. Dies ist eine Möglichkeit, um ein „Dreieck des Begehrens“ zu schaffen, das eine hervorragende Möglichkeit ist, um Ihr Ziel in Ihren Bann zu ziehen. Frauen fühlen sich besonders zu Männern mit einem „aufregenden Ruf“ hingezogen. Nutzen Sie dies zu Ihrem Vorteil. Wenn Sie sich in der ersten Phase der Verführung befinden, legen Sie den Grundstein für die Zukunft. Einer dieser Grundsteine besteht darin, dass sich die Zielperson Sorgen um die Zukunft macht. Sprechen Sie über ihre Zweifel und Unsicherheiten, die Sie in der Unterhaltung mit Ihrer Zielperson erfahren haben. Auf diese Weise legen Sie den Nährboden der Beeinflussung, nämlich dass Sie in der Lage sein werden, diese Leere im Leben der Zielperson zu füllen. Nun ist ein guter Zeitpunkt, um ein wenig mit dem Objekt Ihrer Begierde zu spielen. Was für ein Zufall, dass Sie die Dinge toll finden, die Ihre Zielperson ebenfalls toll findet. Sie passen sich ihrer Stimmung an, was ihrem Ego schmeichelt.

Verunsichern Sie sie mit Verwirrung und Vergnügen

Der Schlüssel besteht darin, Spannung zu erzeugen. Machen Sie Dinge, die die Zielperson nicht von Ihnen erwarten wird, damit sie immer wieder zu Ihnen zurückkehrt. Ihre Zielperson will wissen, was als Nächstes passiert und Sie sollten damit nicht zu offen umgehen. Menschen lieben Neuigkeiten. Ziehen Sie Ihre Zielperson also mit neuen Dingen in Ihren Bann und nutzen Sie diese Dinge auch dafür, um Ihre Zielperson immer wieder zu überraschen. Denken Sie daran, von Zeit zu Zeit strategisch einen kleinen Hauch von Verwundbarkeit und ein wenig Schwäche zu zeigen. Vermeiden Sie es, dies versehentlich zu tun, da Sie sonst unsicher oder arrogant wirken. Entscheiden Sie selbst, welche Schwäche Sie wann zeigen. Zeigen Sie so viel Schwäche, dass sich die Zielperson zumindest für kurze Zeit überlegen oder stark fühlt. Dies sollte so natürlich wie möglich zu Ihrem Charakter passen. Obwohl Sie Ihre Schwächen auf kalkulierte Art und Weise zeigen, wirkt dies dennoch nicht berechnend.

Seien Sie nicht zuverlässig. Wenn Sie Ihrer Zielperson beispielsweise einen Brief oder Blumen schicken möchten, tun Sie dies nicht regelmäßig. Sie wollen ja schließlich, dass Ihre Zielperson immer mehr von Ihnen will und nicht umgekehrt. Benutzen Sie Ihren Wortschatz. Beim Thema Verführung geht es um die emotionale Anziehungskraft. Machen Sie Komplimente, verwenden Sie eine bedeutungsvolle Sprache und appellieren Sie an die Eitelkeit Ihrer Zielperson, ihr Ego und ihr Selbstbewusstsein. Verzaubern Sie sie mit Ihrer Fantasie und führen Sie sie in lebendige, imaginäre Welten ein. Ihre Zielperson wird nicht den Willen dazu haben, Widerstand zu leisten, wenn Sie Ihre Sprache als Hebel einsetzen. Sie müssen auf Details achten, damit Sie wissen, welche Knöpfe Sie wann drücken müssen. Seien Sie poetisch, vulgär (wenn Ihre Zielperson damit einverstanden ist), frech oder sinnlich, aber seien Sie auf keinen Fall gewöhnlich. Verkörpern Sie ihre Fantasien. Hoffentlich haben Sie in Gesprächen herausgefunden, wonach Ihre Zielperson sucht. Jetzt sollten Sie die Grenzen zwischen Fantasie und Realität verwischen, indem Sie die Traumperson sind, von der Ihr Objekt der Begierde so lange geträumt hat. All dies wird Ihnen dabei helfen, die Zielperson von ihrer natürlichen Umgebung zu isolieren, und zwar physisch, mental und emotional. Außerdem ermutigen Sie sie dazu, sich stärker auf Sie zu verlassen als bisher.

Vertiefen Sie diesen Effekt und treiben Sie ihn immer mehr auf die Spitze

Zeigen Sie Ihrer Zielperson, dass Sie die Verkörperung ihrer Träume sind - gemäß der Grundsteine, die Sie gelegt haben. Wenn Sie den weißen Ritter spielen, dann ist es jetzt an der Zeit, ein Drama oder eine Krise zu kreieren (falls es dies noch nicht gibt), damit Sie die Fantasie Ihrer Zielperson, beispielsweise gerettet zu werden, erfüllen können. Ganz egal, welche Art von Verführer Sie sind: Machen Sie sich keine Sorgen, dass Sie albern wirken oder einen Fehler machen. Wenn es so aussieht, als würden Sie ein Opfer bringen, dann wird Ihre Zielperson beeindruckt sein und sich in der Vorstellung bestärkt fühlen, dass Sie Ihr leibhaftiger Traumprinz bzw. Ihre leibhaftige Traumprinzessin sind.

Die Leute lieben es, wenn Sie das Gefühl zu haben, ihre dunkle Seite zu erkunden. Sie könnten Ihrer Zielperson dabei helfen, selbst auferlegte oder von der Gesellschaft festgelegte Grenzen zu überschreiten. Lassen Sie sie jedoch auf jeden Fall das Gefühl haben, dass Sie sie dazu bringen, eine bestimmte Grenze zu überschreiten und zu erforschen, was sie schon immer wollten, aber nie gewagt haben. Normalerweise ist diese Grenze sexueller Natur. Beispielsweise können Sie sich auf eine Verhaltensweise einlassen, die den meisten Menschen verboten ist, wodurch Sie auf gefährliche Art und Weise verlockend wirken. Erlauben Sie Ihrer Zielperson, die Verlockung des Verbotenen zu genießen.

Stellen Sie sicher, dass Sie eine Anziehungskraft symbolisieren, die über das Körperliche hinausgeht, und zwar unabhängig davon, ob Sie eine Person verführen, die in Bezug auf ihr Äußeres eitel ist oder nicht. Viele Menschen haben Unsicherheiten in Bezug auf ihren Körper und Sie sollten nicht wollen, dass diese Unsicherheiten sie abschrecken. Sorgen Sie dafür, dass Ihre Zielperson sich ihrer Schwäche so sehr bewusst ist, dass sie sie nicht auf Sie projizieren kann. Drücken Sie Ihre Wertschätzung für eine Sache aus, die nicht körperlicher Natur ist. Nehmen Sie dabei Bezug auf etwas Erhabenes, wie Religion oder Okkultismus oder sogar ein erstaunliches Kunstwerk. Der Schlüssel bei dieser Phase liegt nicht darin, sich ausschließlich auf das Vergnügen zu konzentrieren. Sie locken Ihre Zielperson mit dem Versprechen an, der Held oder die Heldin zu sein. Sobald Ihnen Ihre Zielperson Aufmerksamkeit schenkt, sollten Sie sich abrupt zurückziehen. Interessiert, interessiert, interessiert - und nun kommt der Schmerz. Plötzlich fühlen Sie sich nicht mehr von ihr angezogen. Sie können sich sogar von der Zielperson trennen, sodass diese die Leere in ihrem Leben spürt, wenn Sie nicht mehr Teil davon sind. Dann können Sie das Vergnügen zurückbringen, wieder ein wenig mehr Spannung aufbauen und sich anschließend wieder zurückziehen.

Vermeiden Sie Konflikte nicht. Sie müssen die sexuelle Spannung aufrechterhalten und das ist ohne Konflikte nicht möglich. Lassen Sie die Zielperson nahe an Sie herankommen, stoßen Sie sie danach weg und beginnen Sie das Ganze wieder erneut. Variieren Sie die Zeiten, wann Sie Ihrer Zielperson Vergnügen und Schmerzen bereiten, damit es nicht langweilig oder vorhersehbar wird. Vielleicht ist diese Trennung dieses Mal für immer. Sie wollen nicht, dass Ihre Zielperson ein Muster findet.

Stoßen Sie die Zielperson von sich weg und lassen Sie sie dann wieder an sich heran

Integrieren Sie ein wenig Eifersucht in die Beziehung. Wie immer sollte dies jedoch nicht zu offensichtlich sein. Erwähnen Sie nebenbei, dass eine andere Person ebenfalls Interesse an Ihnen hat und sorgen Sie somit dafür, dass die Fantasie Ihrer Zielperson in Bewegung gerät. Willenskraft ist auf eine bestimmte Art und Weise mit der sexuellen Libido verbunden, die Sie leicht ausnutzen können. Wenn die Zielperson darauf wartet, dass Sie zu ihr kommen und glaubt, dass sie verführt wird, dann ist die sexuelle Spannung niedrig. Erhöhen Sie die Aufmerksamkeit, indem Sie neue Emotionen, Spannungen und Eifersucht hervorrufen. Binden Sie Ihre Zielperson in die Verführung ein, anstatt sie sich entspannen und auf Sie warten zu lassen. Während Ihre Zielperson immer heißer wird, sind Sie total locker. Schließlich erwartet jeder, dass der Held bzw. die Heldin cool, ruhig und locker ist. In der Zwischenzeit achten Sie auf Anzeichen, dass sich die Libido der Zielperson erhöht. Es kann sein, dass diese errötet oder sogar zu weinen beginnt. Achten Sie auch auf Versprecher. Dies sind alles Anzeichen dafür, dass die Zielperson bereit dafür ist, dass Sie „den Sack zumachen".

Sie sind der Verführer, auch wenn die Zielperson fälschlicherweise glaubt, dass sie es sei. Dies bedeutet auch, dass Sie derjenige sind, der den mutigen Schritt machen muss. Es liegt ganz an Ihnen, Sie müssen jedoch trotzdem Ihre coole und mysteriöse Aura bewahren. Sie machen den Schritt, doch Sie dürfen dabei nicht verzweifelt wirken. Danach müssen Sie möglicherweise dennoch ein wenig Bewegung in die Sache bringen, um Ihre Unerreichbarkeit aufrechtzuerhalten. Doch wenn Sie fertig oder enttäuscht sind, dann stellen Sie sicher, dass Sie es beenden. Fahren Sie nicht aus Mitleid fort oder weil Sie sonst niemanden haben. Ziehen Sie einen klaren Schlussstrich, wenn Sie können. Wenn Sie das nicht können, dann sorgen Sie dafür, dass die Zielperson mit Ihnen Schluss macht, indem Sie sich antiverführerisch verhalten.

Verführungstipps für Anfänger

Es gibt einige Dinge, die Sie wissen müssen, damit Sie auf dem neuesten Stand sind. Diese Tipps werden Ihnen auch dabei helfen, die Kunst der Verführung zu meistern.

Schalten Sie Ihr Handy aus

Um sich darauf zu konzentrieren, die Kunst der Verführung zu erlernen, müssen Sie Ablenkungen vermeiden. Wenn Sie zu sehr von Ihrem Telefon abgelenkt sind, dann kann es sein, dass Sie sich leicht durch Textnachrichten oder sonstige Benachrichtigungen von Ihren Zielen entfernen. Außerdem beleidigen Sie dadurch Ihre potenzielle Zielperson, sodass diese sich nicht von Ihnen angezogen fühlt, wenn Sie ständig auf Ihr Telefon schauen, während Sie sich mit ihr unterhalten. Wenn Sie sich von Ihrem Smartphone fernhalten, kommen Sie in einen regelrechten „Flow“, sodass Sie sich auf das konzentrieren können, was Sie tun. Flows sind auch der Schlüssel zu mehr Kreativität.

Studieren und beobachten

Beobachten Sie, welche Dinge erfolgreiche Verführer tun. Beobachten Sie, wie sie das Spiel spielen. Wenn Sie dieses Buch gelesen haben, dann haben Sie zwar ein gutes Hintergrundwissen, doch Sie können Ihre Erfolgschancen steigern, indem Sie beobachten, was in der richtigen Welt funktioniert und diese Methoden kopieren. Finden Sie einen Mentor, wenn dies nötig ist. Ein Mentor kann Ihnen auch dabei helfen, das Beste aus Ihren Verführungstechniken herauszuholen und Ihnen einige Tipps und Tricks geben, wie Sie so gut werden wie er. Sie können sich auch auf YouTube Videos von bekannten Verführungsprofis ansehen.

Visualisieren

Sie können dies sowohl „vor Ort“ als auch zu anderen Zeiten tun. Visualisierung ist ein Mindset-Trick, den erfolgreiche Sportler und Geschäftsleute anwenden. Wie sieht eine erfolgreiche Nacht im richtigen Leben aus? Warum versuchen Sie, Ihre Verführungstaktiken zu verbessern und was ist Ihr Ziel? Was auch immer dieses Ziel sein mag, arbeiten Sie mit dem, was Sie haben. Wenn Sie sich darauf vorbereiten, abends auszugehen, dann stellen Sie sich vor, wie die Nacht verlaufen soll. Stellen Sie sich vor, wie Sie eine geeignete Zielperson finden und wie Sie mit ihr ins Gespräch kommen.

Konsequente Anwendung

Wie so vieles im Leben sind auch die Bereiche Verführung und Verbesserung der Verführungsmethoden Ausdauerwettbewerbe. Es sind Marathons, keine Sprints. Übernehmen Sie sich also nicht, indem Sie in kurzer Zeit zu viel üben und danach zu viel Zeit zu brauchen, um sich zu erholen. Üben Sie stattdessen jeden Tag ein bisschen. An manchen Tagen dauert Ihre Übung möglicherweise nur zehn Minuten, an anderen Tagen können Sie möglicherweise eine Stunde daran arbeiten. Überfordern Sie sich nicht zu früh mit zu vielen Dingen. Gehen Sie es ruhig an, sodass Sie genügend Zeit haben, um sich zu verbessern und denken Sie über jede Übungsstunde nach, um daraus zu lernen.

Das System des Lernens aus der Praxis

Die meisten Menschen sollten dies in Form von „Feldnotizen“ durchführen. Wenn Sie von einer Übungsstunde nach Hause zurückkehren, rekapitulieren Sie die Nacht noch einmal. Machen Sie sich sofort danach Ihre Notizen, denn wenn Sie dies nicht tun, erhalten Sie nicht die vollständigen Ergebnisse. Achten Sie beim Schreiben besonders auf die Dinge, die gut gelaufen sind. Haben Sie etwas gesagt, das das Interesse Ihrer Zielperson geweckt hat oder haben Sie versucht, Ihre Zielperson ungezwungen zu berühren, um eine Beziehung zu ihr aufzubauen? Achten Sie auch auf die Dinge, die nicht gut gelaufen sind. Vielleicht war Ihr indirektes Spiel etwas zu indirekt, was dazu führte, dass die Zielperson Ihre Verführungstechnik nicht verstand.

Was geschah in Ihrem Umfeld, während Sie übten? Was war in Ihrem Inneren los? Hat irgendeine Sache eine Unsicherheit in Ihnen ausgelöst und konnten Sie damit umgehen oder benötigen Sie einen Spielplan für den Fall, dass dies erneut passiert? Welche Dinge möchten Sie erneut ausprobieren? Gibt es etwas Neues, das Sie ausprobieren möchten? Oder etwas, das Ihrer Meinung nach so schlimm gescheitert ist, sodass Sie es nie wieder machen möchten? Die meisten Mentoren werden Ihre Notizen hören wollen.

Das Gleichgewicht zwischen zu leicht und zu schwer

Wenn Sie nur die einfachen Dinge üben, zum Beispiel sich Zielpersonen zu nähern, die verzweifelt auf der Suche nach Interaktion sind, dann werden Sie sich nicht verbessern. Sie bleiben mittelmäßig und können Ihre Methoden nicht perfektionieren. Wenn Sie andererseits ständig zu hohe Ziele verfolgen, die über Ihre derzeitigen Fähigkeiten hinausgehen, werden Sie nicht wirklich erfahren, was gut gelaufen ist und was nicht. Sie wissen einfach nicht genug, um diese Entscheidung zu treffen und Sie werden sich auch nicht verbessern können, indem Sie sich ständig zu sehr anstrengen. Außerdem passiert es sehr leicht, sich entmutigen zu lassen, wenn Sie das Unmögliche anstreben, weil Sie versagen werden.

Definieren Sie genau, worauf Sie sich bei jeder Übung konzentrieren möchten. Auf diese Weise lernen Sie umso schneller.

Schlafen

Unser Gehirn braucht Ruhe. Zellreparatur- und andere Prozesse können nur dann stattfinden, wenn Sie schlafen. Sie müssen sich also Zeit für den Schlaf nehmen. Lernen geschieht auch im Schlaf, da so Erinnerungen und Erfahrungen im Gehirn verankert werden. Machen Sie ein Nickerchen, wenn Sie müssen, damit Sie abends lange aufbleiben und Ihre Methoden und Techniken nachts ausprobieren können.

Zusammenfassung des Kapitels

- Verführung ist eine Kunst und beinhaltet mehrere Techniken, die über Jahrhunderte entwickelt wurden.
- Jede Phase der Verführung enthält verschiedene Techniken, die auf diese jeweilige Phase anwendbar sind, und zwar unabhängig davon, welche Art von Verführer Sie sind.
- Sie können Ihre Technik mit ein paar Tricks schneller verbessern, indem Sie konstant üben und sich Notizen zu Ihren Trainingssessions machen.

Im nächsten Kapitel lernen Sie die verschiedenen Verführungstechniken genauer kennen.

KAPITEL 6:

Das Einmaleins der Verführungstaktiken

In diesem Kapitel werde ich die Techniken diskutieren, mit denen Männer Frauen sexuell verführen. Bitte beachten Sie, dass diese Techniken auf jahrhundertealtem Wissen und Erfahrungen beruhen. Dazu gehört auch das Wissen, das Männer über die Denkweise von Frauen herausgefunden haben und wie diese Informationen zur Verführung genutzt werden können.

Eine Einführung in die besten Techniken, mit denen Männer Frauen verführen

Es gibt einige häufig vorkommende Manöver, mit denen Männer Frauen erfolgreich ins Bett locken. Ein Mann verhält sich wie ein Casanova, was bedeutet, dass er für seine Liebeseskapaden bekannt ist und zudem sehr offen damit umgeht. Ein solcher Mann liebt eine Frau leidenschaftlich und dann verlässt er sie. Wenn Sie ein Casanova sind, dann wissen Sie, dass Sie Fähigkeiten haben, die andere Männer nicht haben. Im Allgemeinen stehen die Frauen bei einem solchen Mann Schlange, weil dieser erfolgversprechende Techniken und Strategien anwendet. In den Medien wird das Single-Leben, zumindest für Männer, als lustig und glamourös dargestellt. Sich fest niederzulassen wird als langweilig angesehen und manchmal sogar als der Tod von Sex. Wer würde nicht gerne jede Nacht mit einer anderen Frau flirten?

Casanovas lassen Frauen normalerweise nicht in ihr Leben. Sie haben so viele Frauen, sodass sie ihren Freunden und Familienangehörigen nicht ständig neue Damen vorstellen wollen. Sie sind selbstbewusst und gehen so vor, dass sie den Frauen vorgaukeln, dass diese eigentlich das Zepter in der Hand haben. Ihr ultimatives Ziel ist Sex, und zwar so schnell als möglich.

Es gibt verschiedene Typen von Casanovas. Es könnte der gutaussehende Single-Mann in Ihrem Büro sein, der Frauen anzieht wie die Motten das Licht. Andere Männer sind dafür bekannt, wie viel Aufmerksamkeit sie dem anderen Geschlecht schenken und Frauen mit Getränken, Komplimenten und Geschenken verwöhnen. Ein Mann kann mysteriös wirken, wenn er subtile Hinweise hinsichtlich seines Privatlebens und seiner Probleme äußert, doch niemand erfährt alle Informationen, auch wenn alle Frauen versuchen, dies herauszufinden. Und natürlich gibt es da noch den Bad Boy, dessen Verhalten schwer vorherzusagen ist und mit dem es nie langweilig wird. Wenn ein Mann sagt, dass er ein Bad Boy ist, dann versuchen Frauen, das Gegenteil zu beweisen. Das werden sie nicht schaffen. Für einen solchen Mann gibt es keine langfristige Beziehung, die er führen möchte.

Ganz egal, welche Art von Casanova Sie anspricht: Ein solcher Lifestyle bedeutet, super cool zu sein und nach Ihren eigenen Regeln zu spielen. Sie können nicht wie alle anderen Männer sein, sonst gehen Sie in der Menge unter. Frauen wollen einen Mann, der es wagt, anders zu sein. Zeigen Sie ihnen, dass Sie anders sind. Um cool zu sein, müssen Sie über den Dingen stehen. Niemand reagiert positiv auf Verzweiflung, also machen Sie die Frauen neugierig auf Sie. Faszinieren Sie sie, doch geben Sie ihnen nicht sofort, was sie wollen. Halten Sie sie immer an der kurzen Leine. In dieser Situation müssen Sie den Eindruck erwecken, dass Sie schwer zu bekommen sind, damit dies funktioniert. Die Leute wollen immer das, was sie nicht haben können. Lassen Sie Ihr Ziel wissen, dass sie Sie nicht haben können und beobachten Sie, wie sie es dennoch versuchen.

Frauen mögen einen Mann, der witzig ist. Wenn ein Mann schnell genug und monoton spricht, kann er einen Zustand bei seiner Zielperson auslösen, die einem Trance-Zustand ähnelt. Dies ist einer der Vorteile der Neurolinguistischen Programmierung

(NLP). Ein Casanova arbeitet mit allen Sinnen, nicht nur mit Worten, sondern auch mit seinem Geruch, dem Tastsinn sowie der Sehkraft. Zudem wird er das Gehirn einer Frau ansprechen und sie fragen, was sie denkt. Er kann spielerisch und unberechenbar sein. Er könnte eine Frau mit Geschenken überraschen oder sie spontan an einen unbekannten Ort entführen. Ein guter Verführer hat mehrere sprachliche Tricks auf Lager und ist nicht nur schlau und charmant. Er kann sich wie der Held verhalten, der die Tränen einer Frau wegwischt. Wenn die Frau Probleme in ihrer aktuellen Beziehung hat, kann der Verführer darüber sprechen, dass sie traurig aussieht und niedergeschlagen zu sein scheint.

Umgekehrt verhält sich der Verführer so, als bräuchte er die Hilfe seiner Zielperson bzw. eine Schulter zum Ausweinen. Vielleicht hat er Probleme in einer Beziehung, die nicht unbedingt romantischer Natur sein muss. Aber es könnte auch ein Problem bei der Arbeit oder mit Freunden sein. Ein Casanova zeigt eine gewisse Verwundbarkeit, was dafür sorgt, dass sich die Frau stark fühlt. Sich wie ein romantischer Mann zu benehmen, ist ebenfalls eine großartige Möglichkeit, um eine Zielperson anzulocken. Das Zitieren klassischer Zitate oder das Vorlesen von Gedichten ist ein Trick, auf den die meisten Frauen hereinfallen. Wenn Sie darauf achten, was Ihre Zielperson will, können Sie feststellen, ob es sich um ein „böses“ oder ein gutes Mädchen handelt. Doch was auch immer sie ist, konzentrieren Sie sich auf das Gegenteil. Wenn sie ein gutes Mädchen ist, dann möchte sie ein böses Mädchen sein oder zumindest verbotene Früchte probieren. Wenn sie ein böses Mädchen ist, dann will sie Romantik. Wenn Sie sich auf die Details eingestellt haben, können Sie etwas Besonderes für die Frau tun, das diese schätzt und sie wird anfangen, ihr Schutzschild nach und nach abzulegen.

Sie könnten sogar versuchen, ein Gerücht über sich selbst zu verbreiten. Ein Gerücht, das darauf abzielt, Attraktivität auszustrahlen oder etwas, wogegen eine Frau Sie verteidigen möchte. Wie bei allen Verführungstechniken gilt auch hier: Seien Sie sich dieser Techniken bewusst. Verraten Sie nicht versehentlich Informationen über sich selbst und lassen Sie nicht zu, dass andere Personen Gerüchte über Sie verbreiten. Kalkulieren Sie Ihre Vorgehensweise und Ihre Manöver sorgfältig.

Sie können ein Arschloch sein und viele Frauen verführen, doch es muss Ihnen egal sein und Sie dürfen keine Rücksicht darauf nehmen. Sie sind deswegen ein Arschloch, weil Ihnen die Ergebnisse, die Gesellschaft oder die Regeln egal sind. Doch wenn Sie böse sind, weil Sie auf etwas reagieren, das Ihnen wichtig ist, können Sie keine Frauen anziehen. Zurückhaltung funktioniert gut, besonders bei Frauen.

Vielleicht wundern Sie sich, warum es so gut funktioniert, ein Casanova und ein gleichgültiges Arschloch zu sein, um Frauen in Ihr Bett zu locken. Dies wird als die Hypothese der „sexy Söhne“[15] bezeichnet. Frauen möchten Söhne haben, die für das andere Geschlecht attraktiv sind, also haben sie Sex mit Männern, die für andere Frauen attraktiv sind. Man nimmt an, dass ein weiblicher Orgasmus eine Möglichkeit ist, die Wahrscheinlichkeit für eine Befruchtung der Eizelle zu erhöhen. Die Evolution hat es so eingerichtet, dass ein Orgasmus bei wünschenswerteren Partnern stattfindet. In diesem Zusammenhang bedeutet „wünschenswert“, die Gene zu besitzen, die Frauen an ihre potenziellen Söhne weitergeben möchten, damit sie wünschenswerte Frauen anziehen können. Untersuchungen haben ergeben, dass Frauen mehr Orgasmen mit Männern haben, die auch andere Frauen attraktiv finden, was die Hypothese der sexy Söhne bestätigt.

Gedankenspiele und verdeckte Verführung

Die vorherigen Vorschläge waren ein wenig offensichtlich, doch jetzt werden wir uns mit Aktivitäten befassen, die für beide

---

[15]https://www.psychologytoday.com/intl/blog/slightly-blighty/201508/the-sexy-sons-theory-what-women-are-attracted-in-men

Parteien möglicherweise nicht so klar sind. Bei dieser Art von Spielen wird der Geist der Zielperson ein wenig stärker eingesetzt als bei anderen Spielen.

Cold Reading

Eine Möglichkeit, die Gedanken einer Frau zu verwirren, besteht darin, „kaltes Lesen" zu versuchen. Dies ist die gleiche Taktik, die von vielen Menschen angewendet wird, die sich Medium und Gedankenleser nennen. Sie müssen dazu in der Lage sein, die weibliche Körpersprache gut zu lesen, damit diese Taktik funktioniert. Mithilfe dieser Taktik machen Sie Vorschläge, die für viele Frauen gelten und lassen deren Verstand und Fantasie den Rest erledigen. Dies ist besonders effektiv, wenn Sie die Handfläche der Frau lesen, weil Sie dann auch den Tastsinn wirken lassen können. Egal, ob Sie die Technik Cold Reading anwenden oder nicht, stellen Sie sicher, dass Sie spielerisch und interessant bleiben.

Was sind die Grundlagen von Cold Reading? Unabhängig davon, ob Sie das Verführungsspiel spielen oder sich als Medium oder Tarotkarten-Leser ausgeben, sollten Sie von denselben Grundannahmen ausgehen, nämlich, dass Menschen sich ähnlicher sind als dass sie sich unterscheiden und dass wichtige Lebensereignisse für alle gleich sind: Geburt, Pubertät, Arbeit, Ehe, Kinderwunsch, Altern und Sterben. Die Leute besuchen keine Cold-Reading-Experten, weil sie glücklich sind, sondern weil sie versuchen, ein Problem zu lösen. Meistens sind diese Probleme auf Liebe, Geld, Gesundheit oder deren Mangel zurückzuführen. Ein guter Cold-Reading-Experte, der davon leben kann, hat ein scharfes Auge für Details. Er bemerkt Schmuck, Haut, Kleidung und andere Accessoires, die ihm sagen, wo das Problem wahrscheinlich liegt. Möglicherweise haben Sie dieses Auge für Details nicht oder kümmern sich nicht besonders darum. Doch die meisten Menschen teilen die gleiche Lebenseinstellung, auch wenn wir unterschiedliche Ziele und Bestrebungen haben. Viele unserer Überzeugungen werden von der Kultur bestimmt. Wenn Sie also die Kultur der Frau kennen, dann wissen Sie wahrscheinlich bereits viel über ihre Überzeugungen und Ansichten.

Wie sich herausgestellt hat, kann man auch mit einem „Aktienspiel" ziemlich großen Erfolg haben, solange es vage genug ist, damit es auf eine große Anzahl von Frauen zutrifft. Die besten Schlussfolgerungen sind etwa zu drei Vierteln richtig und zu einem Viertel falsch.[16] Solange Sie selbstbewusst sind und so tun, als ob Sie wissen würden, was Sie tun, wird Ihre Zielperson wahrscheinlich davon überzeugt sein, dass Sie sie genau gelesen haben und sie wird erstaunt sein, was Sie wissen. Dies funktioniert, weil das Gehirn eines Menschen sofort versucht, den Sinn einer Sache zu ergründen, wenn er potenziell widersprüchliche Aussagen hört. Wir setzen die Dinge so zusammen, dass sie Sinn ergeben. Gute vage Taktiken beinhalten das Sprechen über verschiedene Aspekte der Zielperson. Sie können zwei Aspekte gegenüberstellen: „Dein Lächeln ist so unschuldig, doch ich kann etwas Dunkleres in deinen Augen sehen." Oder Sie können der Frau auch sagen, dass sie manchmal abenteuerlustig und mutig ist, jedoch manchmal auch schüchtern und nicht sehr risikofreudig. Da dies für die meisten Menschen gilt, kann man es mit einer gewissen Sicherheit sagen. Wenn Sie einige grundlegende Aspekte der Körpersprache kennen, können Sie diese ebenfalls verwenden: „Ich weiß, dass du emotional verschlossen bist, weil du mit verschränkten Armen dastehst."

Beginnen Sie spielerisch mit dem Cold Reading. Sie könnten der Frau sogar sagen, dass Sie Hellseher sind, um sie zu faszinieren. Oder Sie können mit einer allgemeinen Aussage beginnen, die wahrscheinlich wahr ist und dann weitermachen. Sie sollten die Emotionen der Frau einbringen, also könnten Sie mit einer „negativen" Emotion, wie Angst, beginnen und ihr dann etwas Positives darüber erzählen. Wenn Sie einige allgemeine Cold-Reading-Prozesse durchgeführt haben, gehen Sie zu einer Berührungstaktik

[16] https://heartiste.net/cold-reading-is-a-potent-seduction-tactic/

über. Die Frauen, bei denen Sie die Cold-Reading-Technik anwenden, werden überrascht sein, wieviel Sie über sie wissen - was ihre Abwehrkräfte beeinträchtigt, sodass Sie auf einer tieferen Ebene, als bei einigen anderen Techniken, etliches über sie erfahren können. Da Sie bereits so viel über die Frau wissen, ist es für sie keine große Sache, noch größere Schwächen zu offenbaren. Auf diese Weise können Sie eine Beziehung zu Ihrer Zielperson aufbauen, insbesondere wenn diese konventionell attraktiv ist und nur an Männer gewöhnt ist, die sich für ihr Aussehen interessieren. Sie können ein paar Aussagen über Sex oder Unterdrückung tätigen, um die Frau dazu zu bringen, über Ihr finales Ziel nachzudenken, auch wenn dies unbewusst ist.

Je mehr Cold Reading Sie betreiben, desto einfacher wird es. Mit einem Blick können Sie Ihre Zielperson lesen und ihr Ihre erstaunliche Macht zeigen. Es ist eine großartige Möglichkeit, eine Beziehung aufzubauen, während Sie dafür sorgen, dass sich die Zielperson bei Ihnen wohlfühlt, weil Sie Dinge „entdecken“, die Sie beide gemeinsam haben. Die Cold-Reading-Methode wird wahrscheinlich keine Frau dazu bringen, mit Ihnen ins Bett zu gehen, daher müssen Sie auch einige andere Methoden anwenden. Aber es handelt sich um eine schnelle Möglichkeit, um die Aufmerksamkeit einer Frau zu erregen und ihr einige ungewöhnliche Dinge zu zeigen, es sei denn, sie ist von Natur aus eher skeptisch. In diesem Fall wird sie sich mit Ihnen anlegen, wenn Sie versuchen, sie zu lesen. Wenn Sie mehr über diese Frau erfahren, werden Sie möglicherweise auch feststellen, dass Sie nicht wirklich mehr Zeit mit ihr verbringen möchten und dann schnell die Kurve kratzen.

Schweben und Disqualifizieren

Eine andere Taktik wird als „Schweben und Disqualifizieren“ bezeichnet. Sie können sich wahrscheinlich vorstellen, was das bedeutet. Der Vorteil besteht darin, dass diese Methode unabhängig von Ihren Fähigkeiten oder der Art der Verführerpersönlichkeit, die Sie verkörpern, funktionieren kann.

Zunächst einmal müssen Sie physisch in die Nähe Ihrer Zielperson kommen. Die Frau muss Sie also sehen. Am besten machen Sie dies nicht auf eine ungewöhnliche Art und Weise. Finden Sie einen (plausiblen) Grund, um in ihrer Nähe zu sein. Wenn sie an der Bar steht, haben Sie die Ausrede, ein Getränk kaufen zu wollen. Wenn sie woanders steht, können Sie Ihr Telefon herausholen und so tun, als würden Sie Ihre E-Mails checken. Verlieren Sie sich jedoch nicht zu stark in Ihrem Smartphone, sodass Sie vergessen, warum Sie diesen bestimmten Ort ausgewählt haben. Stellen Sie sich nicht so hin, dass Sie ihr direkt gegenüberstehen. Es ist am besten, eine Position einzunehmen, in der Sie sehen können, was sie tut, sodass Sie einen guten Zeitpunkt erwischen können, um sich ihr zu nähern. Dies ist der „Schwebe"-Teil.

Als Nächstes sollten Sie Ihre Zielperson als potenzielle Partnerin disqualifizieren, indem Sie eine andere Frau offen und interessiert anschauen, während Sie sich in der Nähe Ihrer Zielperson befinden. Dies wird etwas Eifersucht in ihr hervorrufen und sie ein wenig aufheizen. Sie müssen sicherstellen, dass die Frau sieht, wie Sie andere Frauen anschauen. Aus diesem Grund müssen Sie an dieser Stelle offensiv und nicht subtil vorgehen. Wenn eine andere Frau einen tollen Hintern hat, machen Sie dies deutlich, indem Sie den Hintern direkt anschauen.

Die Technik „Schweben und Disqualifizieren" erledigt einige Dinge für Sie. Weil Sie Ihre Zielperson nicht direkt anschauen, scheinen Sie nicht zu stark an ihr interessiert zu sein. Wenn Sie in der Nähe Ihrer Zielperson stehen und andere Frauen ansehen, senden Sie gemischte Signale. Wir Menschen finden solche Signale verwirrend und gleichzeitig verlockend. Je mehr dieser Signale Sie senden, desto besser. Eifersucht ist eine sexy Emotion und es kann sein, dass Ihre Zielperson Ihre Aufmerksamkeit in Bezug auf eine andere Frau als Herausforderung für sie sieht. Frauen lieben Herausforderungen. Sobald Sie die Technik ausgeführt haben, können Sie sich Ihrem eigentlichen Ziel nähern. Sie können dies sofort tun, wenn sich die Gelegenheit bietet und vor allem völlig ungezwungen. Andernfalls müssen Sie möglicherweise für kurze Zeit weggehen und dann zurückkehren.

Bei dieser Technik sind einige Dinge zu beachten, da sie sonst möglicherweise nicht funktioniert. Schauen Sie nicht zu lange auf den „Disqualifizierer", da Sie sonst eigenartig wirken. Schauen Sie die Zielperson an, insbesondere eine offensichtlich attraktive Stelle ihres Körpers, aber schauen Sie dann weg, nachdem Sie sicher sind, dass Ihre Zielperson Ihre Blicke bemerkt hat. Es ist auch möglich, dass Ihre Zielperson so selbstbewusst ist, dass sie sich der Gelegenheit nicht stellt: Sie lässt die Methode geschehen, ohne sich dagegen zu wehren oder Widerstand zu leisten. Sie können versuchen, ihr in diesem Fall etwas mehr Aufmerksamkeit zu schenken, müssen aber möglicherweise einfach weitermachen.

Die Neck-Technik

Die Technik, von der Sie höchstwahrscheinlich bereits gehört haben, wenn Sie ein Aufreiß-Künstler sind, ist die „Neck"-Technik. Sie beleidigen die Frau ein wenig (nicht zu sehr, da Sie sonst Ärger bekommen), was überraschend ist, da Männer Frauen, mit denen sie Sex haben möchten, normalerweise nicht beleidigen. Das Überraschungselement ist eine Neuheit, nach der sich das menschliche Gehirn sehnt. Frauen, besonders sehr attraktive, kennen nur Lob und sind an nichts anderes gewöhnt. Mit dieser Taktik werden Sie aus der Menge hervorstechen. Mithilfe der Neck-Technik drücken Sie ein leichtes Desinteresse an der Frau aus, was wiederum ungewöhnlich ist und deswegen die Aufmerksamkeit der Frau auf sich zieht. Sie haben dadurch die Kontrolle über die Situation. Jetzt versucht die Frau, als Resultat Ihres zweideutigen Komplimentes, Ihre Zustimmung zu verdienen. Selbst wenn Sie sich selbst nicht als Aufreiß-Künstler sehen, so können Sie diese Technik dennoch benutzen, um Ihre Interaktionen mit Frauen ein wenig aufzupeppen.

Diese Technik sollte jedoch vorsichtig angewendet werden. Sie ist für Frauen gedacht, die körperlich sehr attraktiv sind, weil für sie ein zweideutiges Kompliment sehr ungewöhnlich ist. Für Frauen, die konventionell nicht attraktiv sind, ist dies möglicherweise keine neue Sache. Wenn Sie diese Technik bei solchen Frauen anwenden, dann funktioniert das nicht sehr gut, weil Sie zu gewöhnlich wirken. Diese Technik wird am besten nach einem kleinen Flirt mit der Frau verwendet und auch in einem flirtenden oder verspielten Tonfall gesagt.

Sozialer Beweis

Die Taktik des sozialen Beweises ist für alle Männer gut anwendbar, ganz gleich, wieviel Erfahrung Sie in punkto Verführung haben. Diese Taktik basiert auf der Annahme, dass die meisten Menschen denken, dass, wenn viele Menschen eine bestimmte Wahl treffen, diese Wahl richtig sein muss. In welches Restaurant gehen Sie zum Beispiel? Das Restaurant, das keine Kunden hat oder in das, das voller Gäste ist? Sie gehen natürlich in das Restaurant, das immer voll ist, weil Sie annehmen, mit dem anderen Restaurant würde etwas nicht stimmen, wenn dort niemand isst.

Diese Verhaltensweise funktioniert auch bei anderen Dingen, sogar bei der Entscheidung, ob man die Universität besucht. Wenn Sie in einem Umfeld leben, in dem nach dem Abitur niemand eine Universität besucht, werden Sie wahrscheinlich auch nicht studieren gehen. Wenn Sie jedoch jemanden kennen, der studiert, dann werden Sie wahrscheinlich auch studieren. Wann kaufen Sie einen Online-Kurs? Wenn Sie eine Werbeanzeige sehen, die gut aussieht und Ihnen sagt, wie gut der Kurs ist oder wenn Ihre Freunde Ihnen sagen, dass dieser Kurs ihr Leben verändert hat? Natürlich werden Sie den Empfehlungen Ihrer Freunde folgen.

Welche Konsequenz hat dies nun für die Welt der Verführung? Ein sozialer Beweis ist, wenn Sie von anderen Frauen umgeben sind oder bekanntermaßen Sex mit anderen Frauen hatten. Frauen sollten sich in Ihrer Nähe befinden, damit Ihre Zielperson erkennt, dass sie Sie auswählen muss, weil Sie die sozial richtige Option sind.

Es gibt drei Möglichkeiten, wie Sie relativ schnell einen sozialen Beweis erstellen können. Ein Beweis ist, in Gesellschaft anderer Frauen gesehen zu werden. Dies funktioniert am besten, wenn Ihre Begleitung attraktiv ist, also junge Frauen. Dies funktioniert auch, wenn Sie einen coolen Freund haben und mit ihm und seinen Leuten herumhängen. Auf diese Weise erzielen Sie einen „Überschwapp"-Effekt. Sie können sich auch an eine andere Frau oder eine Gruppe von Frauen wenden und auf lustige Art und Weise mit ihnen sprechen, um dann irgendwann ein Gespräch mit dem Objekt Ihrer Begierde zu führen. Diese Vorgehensweise ähnelt der Disqualifizierungsmethode, ist jedoch nicht ganz dasselbe.

Die zweite Möglichkeit besteht darin, ein sozialer Schmetterling zu sein und den Raum zu bearbeiten. Je mehr Menschen Sie kennen, desto mehr Menschen wollen wiederum Sie kennenlernen. So sind wir Menschen. Wenn Leute mit Ihnen sprechen wollen, dann werden Sie als wichtige Person angesehen. Sie müssen wirklich eine wichtige Person sein, wenn jeder Sie kennenlernen will. Sie werden faszinierend wirken und Frauen werden Sie kennenlernen wollen. Der Nachteil dieser Art von sozialem Beweis ist, dass es relativ einfach ist, in den Entertainer-Modus zu wechseln und den Grund zu vergessen, warum Sie hier sind. Oder Sie sind so energiegeladen, dass Sie sich nicht ruhig, cool und gleichgültig verhalten können, wenn Sie sich einer Frau nähern.

Bewegen Sie sich in der Menge, bis Sie eine Frau finden, die Sie besser kennenlernen möchten. Sprechen Sie nicht zu lange mit einer Person, die nicht interessant ist (männlich oder weiblich). Doch sobald Sie eine faszinierende Frau gefunden haben, müssen Sie sich auf sie konzentrieren.

Die dritte Möglichkeit ist, einen Ort auszuwählen, an dem Sie bekannt sind. Wenn Sie noch keinen haben, können Sie einen finden. Sie sollten eine Bar oder einen Nachtclub haben, in dem Sie das Personal und die Stammgäste kennen. Es sollte auch ein Ort sein, an dem viel Kommen und Gehen herrscht, was bedeutet, dass ständig neue Frauen auftauchen. Sie sollten keinen Ort auswählen, an dem Sie bei jedem Besuch immer dieselben Menschen treffen, da sonst Ihre Methode sehr schnell wirkungslos wird. Es sollte auch ein Ort sein, an dem Frauen neue Partner kennenlernen möchten, also kein Café oder eine Teestube, in der sie sich mit Freunden treffen. Frauen sollten mit der Vorstellung an diesen Ort kommen, dass sie einen Mann finden, mit dem sie eine sexuelle oder romantische Zeit haben können. Dieser Ort hat idealerweise kleine Ecken oder Tische, wo Sie die Frau hinbringen können, um sich auf Ihre Verführung zu konzentrieren. Am besten eignet sich ein Ort mit unterschiedlichen Stockwerken und verschiedenen Räumen, sodass Sie den Platz wechseln können, ohne das eigentliche Lokal zu verlassen.

Sobald Sie einen solchen Ort gefunden haben, gehen Sie konsequent dorthin. Genau wie bei Ihren Übungsstunden müssen Sie zwar nicht lange, aber regelmäßig dort sein. Um die Mitarbeiter kennenzulernen, ist es am besten, etwas früher oder in der Freizeit hierher zu kommen, damit diese nicht zu beschäftigt sind und etwas Zeit mit Ihnen verbringen können. Machen Sie sich mit der Umgebung und dem Personal vertraut und entdecken Sie alles, was der Ort zu bieten hat. Sie möchten wissen, wohin Sie eine Frau für ein verführerisches Einzelgespräch bringen können. Beobachten Sie alles genau, damit Sie wissen, wann die Frauen normalerweise dort hingehen.

Kino-Eskalation

Schon mal etwas von Kino-Eskalation gehört? Die Kino-Eskalation beruht auf der erotischen Kraft der Berührung, die Ihnen dabei hilft, eine Beziehung mit der Frau aufzubauen, mit der Sie Sex haben möchten. Denken Sie daran, dass durch Berührungen der Bindungsneurotransmitter Oxytocin freigesetzt wird. Eine Frau zu berühren sagt eine Menge über Sie aus, was insgesamt sehr gut ist. Eine Berührung zeigt, dass Sie selbstbewusst sind und sich keine Sorgen darüber machen, ob Sie die Frau womöglich vergraulen. Eine Berührung zeigt, dass Sie ein körperlicher Mann sind. Frauen finden selbstbewusste Männer, die keine Angst vor

Berührungen haben, sehr sexy. Während Sie sich mit ihr unterhalten, müssen Sie eine Frau selbstsicher berühren und es so aussehen lassen, als wäre diese Berührung absichtlich passiert. Sonst wirken Sie nicht selbstsicher, was ein eindeutiger Abtörner ist.

Wenn Sie nachts auf Frauenjagd gehen, müssen Sie oft die Nähe einer Frau suchen und sie berühren, damit sie hören kann, was Sie sagen. Doch wenn Sie tagsüber auf Frauenfang gehen und mit Berührungen arbeiten, dann können Sie einer Frau beim ersten Treffen nicht ins Ohr flüstern, denn dies wirkt unnatürlich. Passen Sie sich entsprechend an.

Es ist viel schwieriger, eine Frau zu verführen, wenn Sie keine Kino-Eskalation verwenden. Berührungen sind sehr mächtig. Wenn die Frau Ihnen positive Signale gibt, können Sie weitermachen. Ein positives Signal ist beispielsweise, dass sie sich zu Ihnen nach vorne beugt und vielleicht sogar die Berührung erwidert. Ist die Frau neutral, wird sie sich nicht bewegen oder Sie berühren. Wenn ihre Reaktion negativ ist, dann zieht sie sich von Ihnen zurück. Empfangen Sie ein neutrales oder negatives Signal, dann bedeutet dies nicht unbedingt, dass Sie aufgeben sollten. Die Frau fühlt sich gerade nicht wohl bei Ihnen. Ziehen Sie sich also ein wenig zurück und geben Sie ihr ein wenig Zeit, bis Sie es erneut versuchen. Wenn sie Ihnen ein Signal sendet, dass Sie zu weit gegangen sind, dann können Sie sich ruhig und bewusst zurückziehen. Ziehen Sie Ihre Hand nicht zurück, als hätten Sie etwas Heißes berührt, denn das bedeutet, dass Sie nicht selbstbewusst sind. Selbst was Berührungen angeht, sollten Sie nicht widerspruchsfrei oder vorhersehbar sein. Wenn eine Frau zeigt, dass sie eine bestimmte Art mag, wie Sie sie berühren, hören Sie kurz damit auf. Sie können später erneut beginnen.

Wenn Sie sie berühren, dann gehen Sie dabei nicht ungeschickt und tollpatschig vor. Leichte Berührungen sind das Mittel der Wahl - berühren Sie ihren Arm kurz, wenn Sie ein Argument unterstreichen wollen und drücken Sie Ihr Knie gegen ihres, wenn es wenig Platz gibt. Lassen Sie Ihre Hand nicht wie einen toten Fisch auf ihrem Knie liegen. Sie können die Kino-Eskalation beginnen, indem Sie sie als Zeichen der Zustimmung an der Schulter berühren. Diese Berührung ist nicht sexuell und doch handelt es sich um eine Berührung, die darauf hinweist, dass weitere folgen werden. Wenn Sie die Frau an einen anderen Ort entführen, dann halten Sie ihre Hand. Wählen Sie einen Ort aus, an dem Sie bekannt sind und der separate Räume hat. Es ist eine großartige Idee, eine Frau von einem Ort an einen anderen zu entführen und Sie können dabei ihre Hand halten.

Sobald Sie ein längeres Gespräch mit der Frau geführt haben, kann Ihre Berührung etwas länger dauern und Sie können sie umarmen oder streicheln. Halten Sie sie an der Taille fest, besonders in einem Nachtclub, wenn Sie dabei Schwierigkeiten haben, aufgrund der lauten Musik zu sprechen. Außerdem können Sie besser beurteilen, ob es in Ordnung ist, die Frau zu küssen, wenn Sie sie an der Taille festhalten. Sogar ein Kuss ist Kino-Eskalation. Küssen Sie die Frau auf die gleiche Weise, wie Sie den Rest Ihrer Berührungen machen - absichtlich und ohne zu zögern. Wenn sie sich zurückzieht, dann lassen Sie sie los und versuchen Sie es etwas später erneut, wenn sie Ihnen signalisiert, dass Sie es versuchen sollen.

Nachtclubs eignen sich hervorragend zum Tanzen. Viele Frauen lieben es, zu tanzen und Sie können ihre Hand halten, während Sie sie zum Dancefloor führen. Tanzen ermöglicht es Ihnen auch, körperlich viel näher bei ihr zu sein und sie stärker zu berühren.

Wenn dies an Ihrem Veranstaltungsort in Ordnung ist, können Sie in die Vollen gehen und irgendwann mit der Frau herummachen, wenn sie sich wohler in Ihrer Nähe fühlt. Doch wenn Sie „den Sack nicht zumachen“ können, dann ist das eine schlechte Idee. Ihre Stimmung wird sich abkühlen und sie wird erkennen, was Sie zu tun versuchen, anstatt im Moment gefangen zu sein. Wenn Sie sie zu sich nach Hause bringen können, ist es eine hervorragende Möglichkeit, um die Berührungen stufenweise zu steigern, wenn

Sie mit ihr herummachen. Sie wollen, dass sie unbedingt mit Ihnen schlafen will, also machen Sie sie mit Berührungen an. Küssen Sie ihren Nacken, spielen Sie mit ihren Schenkeln und verwenden Sie Ihre Finger, um eine großartige Wirkung zu erzielen.

Die Lösung besteht hier, sehr viele Berührungen zu ermöglichen. Fangen Sie klein an und streicheln Sie sie sanft an der Schulter oder an den Armen. Wenn Sie zu schnell zu viel wollen, dann wird sie das abtörnen. Achten Sie auf ihre Reaktionen: Wenn die Frau möchte, dass Sie sich zurückziehen, dann tun Sie dies sofort und bewusst. Geben Sie ihr einen Moment Zeit, bevor Sie wieder loslegen. Beginnen Sie nun wieder mit leichten Berührungen. Stellen Sie sicher, dass sie mit den leichten Berührungen einverstanden ist, bevor Sie noch weiter gehen. Machen Sie dasselbe nochmal, bevor Sie Sex mit ihr haben. Alle Phasen müssen eingehalten werden, da Sie sich sonst eine Abfuhr holen, wenn Sie zu schnell zu viel wollen.

Weibliche Psychologie und die Shogun-Methode: Ein Überblick

Das nächste Kapitel befasst sich eingehender mit der Shogun-Methode, jedoch sollten Sie wissen, dass Sie die weibliche Psychologie auch dafür verwenden können, eine Frau dazu zu bringen, sich für Sie zu interessieren. Es geht darum, eine Frau glücklich zu machen, doch sie muss auch äußerst negative Erfahrungen mit Ihnen machen.

Wenn Sie ein Mann sind, dem es nichts ausmacht, mit vielen Frauen zu schlafen, wenn es Ihnen nichts ausmacht, Gedankenkontrolltechniken anzuwenden und wenn es für Sie in Ordnung ist, eine Frau ein wenig leiden zu lassen, damit sie Ihnen gehört, dann sollten Sie die Shogun-Methode in Betracht ziehen. Diese Methode ist ein bisschen kontrovers und kann als manipulativ angesehen werden, doch wenn das für Sie in Ordnung ist, könnte sie funktionieren. Wenn Sie jedoch ein Psychopath sind, der gerne Frauen verletzt oder wenn Ihr Ziel darin besteht, bis zu Ihrem Tod mit so vielen Frauen wie möglich zu schlafen, dann sollten Sie zu einer anderen Technik übergehen.

Zusammenfassung des Kapitels

- Es gibt gängige Tricks, mit denen Männer Frauen verführen können.
- Die geheimen Taktiken umfassen Gedankenspiele, wie die Neck-Technik, die Cold-Reading-Technik sowie die Technik „Schweben und Disqualifizieren".
- Eine wirksamere Verführungstechnik ist die Shogun-Methode, bei der eine Frau mental leiden muss, damit sie Ihnen gehört.

Im nächsten Kapitel erfahren Sie alles über die Shogun-Methode sowie andere dunklere Verführungstaktiken.

KAPITEL 7:

Dunkle Verführungstaktiken

Die Techniken, die wir bisher besprochen haben, waren relativ harmlos. Ja, es handelt sich um Gedankenspiele, doch die Frau hat immer noch die Wahl, sich zurückzuziehen oder die ganze Sache abzulehnen. Es gibt einige hinterhältigere Möglichkeiten, um eine Frau zu verführen, die stärker von Manipulation geprägt sind. Bei diesen Techniken ist die Zustimmung nicht unbedingt gegenseitiger Natur, da die Frau möglicherweise nicht weiß, was Sie tun. Doch diese Techniken halten länger an und sind dauerhafter als einige der kurzfristig konzipierten Aufreiß-Strategien.

Die Shogun-Methode

Wenn Sie diese Taktik anwenden, haben Sie die Grenze überschritten und sind in Bezug auf die Verführung auf die dunkle Seite gewechselt. Der Trick dabei ist, die Frau zu isolieren und sie von ihrer Familie und ihren Freunden zu trennen, damit sie von Ihnen abhängig wird (Denken Sie daran, dass Sie diese Technik nicht anwenden sollten, wenn Sie eine Frau nur ins Bett bekommen und dann verlassen möchten!).

Es gibt eine Schritt-für-Schritt-Anleitung, die befolgt werden muss, damit die Shogun-Methode funktioniert. Diese wird als IRAE-Anleitung bezeichnet. Diese Buchstaben stehen für Intrigue/Interesse, Rapport/Beziehung, Attract/Anziehung und Enslave/Versklavung. Sorgen Sie zunächst dafür, dass eine Frau sich für Sie interessiert und bauen Sie dann eine Beziehung mit ihr auf. Sobald Sie dies erfolgreich getan haben, wird sich die Frau von Ihnen angezogen fühlen. Dann und nur dann können Sie sie mental versklaven, sodass sie total süchtig nach Ihnen wird. Wenn Sie diese Schritte nicht in der richtigen Reihenfolge ausführen, funktioniert diese Methode nicht. Wenn Sie versuchen, eine Beziehung zu einer Frau aufzubauen, ohne sie zu faszinieren, dann haben Sie kein ausreichend solides Fundament gelegt. Und es kann keine tiefe Anziehungskraft geben, ohne dass man eine Beziehung aufbaut.

Die Aufreiß-Community legt den Schwerpunkt auf die Verhaltensweise der Männer, doch die Shogun-Methode nutzt weibliche Schwächen aus. Die Shogun-Methode soll die Aufmerksamkeit einer Frau auf einen Mann lenken und sie dazu verleiten, die Entscheidungen zu treffen, die sie treffen soll. Dies alles basiert auf wissenschaftlichen Erkenntnissen und Prinzipien, die wiederum auf den Erkenntnissen basieren, die wir über das Gehirn wissen, wie NLP-Techniken und angewandte Psychologie. Studien zeigen, dass Frauen polygam und auch hypergam sein können: Sie wechseln den Partner, wenn ein besserer Mann als der, den sie derzeit haben, auftaucht. Dies ist eine Chance für einen Mann, der Shogun-Methoden anwendet, jedoch auch ein Risiko.

Diese Methode kann Männern dabei helfen, die Freundschaftszone zu verlassen, sich nach Herzschmerz zu erholen, ein neues Kapitel in ihrem Leben zu beginnen und sogar eine Ex-Freundin zurückzugewinnen, die sie einfach nicht vergessen können. Fans der Shogun-Methode sagen, dass Sie nicht unbedingt viel über Frauen wissen müssen. Solange Sie die Schritte wie angegeben ausführen und ein grundlegendes Verständnis der wissenschaftlichen Grundlagen haben, dann wird sie funktionieren.

Jede der Stufen in IRAE hat ihre eigenen Sequenzen oder Muster, mit denen Sie eine Frau in Ihren Bann ziehen können:

Während der Interessensphase möchten Sie, dass die Frau sich von Ihnen angezogen fühlt. Eine Sequenz besteht darin, die Gefühle, die sie für einen Gegenstand hat, auch in Ihnen zu verankern. Identifizieren Sie ihre Leidenschaft und übertragen Sie diese Leidenschaft auf Sie. Wenn sie besondere Fähigkeiten hat oder an eine höhere Macht glaubt, dann können Sie dies dazu verwenden, um mental ein Interesse an Ihnen zu erzeugen. Fragen Sie sie nach den Themen Liebe und Beziehungen. Wenn sie eine schöne Frau ist, lassen Sie sie wissen, dass Sie an etwas mehr interessiert sind als nur an ihrem Aussehen.

Der Aufbau von Beziehung ähnelt den Techniken, die in der Aufreiß-Szene verwendet werden. Doch bei der Shogun-Methode werden Sie ein wenig tiefer gehen. Sie finden die geheimen Schwächen der Frau heraus und zeigen ihr, dass Sie die Lösung für ihre Leere sind. Wir Menschen müssen zu einer Gruppe gehören und deswegen kreieren Sie eine Gruppe, die nur aus Ihnen beiden besteht.

Sobald Sie diese tiefe Beziehung aufgebaut haben, ist es an der Zeit, zur Anziehungsphase überzugehen. Aufbauend auf Ihrer gemeinsamen Welt zeigen Sie ihr, wie ähnlich Sie sich beide sind. Finden Sie heraus, wie ihr Traummann sein sollte und zeigen Sie ihr dann, wie ähnlich Sie diesem sind. Beweisen Sie ihr jedoch auch, was für ein großer Unterschied zwischen ihrem derzeitigen Freund und ihrem Traummann besteht (wenn sie derzeit einen Freund hat, den Sie loswerden müssen). Damit zeigen Sie der Frau, dass Sie der perfekte Freund sind.

Die Versklavungsphase besteht aus zwei Phasen. Die erste Phase besteht darin, dass Sie die Zielperson von ihrer aktuellen Umgebung isolieren, damit sie von Ihnen abhängig wird. Anschließend verwenden Sie die unten erläuterte Black-Rose-Sequenz, um ihre aktuelle Identität zu löschen und durch eine Identität zu ersetzen, die Ihnen unterworfen ist. Diese Phase ist nicht möglich, wenn Sie die vorherigen drei nicht durchlaufen haben.

Eingepflanzte Befehle

Wie Sie wahrscheinlich wissen, reagiert niemand gut auf direkte Befehle, auch Frauen nicht. Doch was ist, wenn Sie einen Samen ins Unterbewusstsein gepflanzt haben? Dies ist die Technik der eingepflanzten Befehle. Anstatt einer Frau direkt zu befehlen, etwas zu tun, tarnen Sie es so, dass sie ganz verzaubert ist und eine bestimmte Sache macht. Ihre Anweisung enthält zwar einen direkten Befehl, der eingepflanzt wird, doch Sie erteilen dennoch keinen direkten Befehl.

Hier ist ein Beispiel: „Ich könnte dir zwar sagen, dass du mir vertrauen sollst, aber so jemand wie du muss alles sorgfältig abwägen, bevor er die richtige Wahl trifft." „Mir vertrauen" ist der direkte Befehl, doch diesen hört sie nicht. Und doch nimmt ihr Unterbewusstsein diesen Befehl auf.

Fraktionierung

Freud war der Erste, der diese psychologische Taktik entdeckte.[17] Diese Taktik nutzt Hypnosetechniken, Überzeugungskraft und Psychologie, um die Geheimnisse einer bestimmten Person herauszufinden. Diese Technik kann in jeder IRAE-Phase verwendet werden. Typischerweise ist die Fraktionierungstechnik eine Kombination aus Hypnose und dem effektiven Einsatz der Körpersprache, um eine emotionale Verbindung mit der Frau herzustellen. Dazu versetzen Sie sie in Trance und holen Sie dann wieder aus diesem Zustand heraus, was dazu führt, dass die Frau emotional süchtig nach Ihnen wird.

Wenn Sie sich Sorgen um die ethischen Komponenten machen, dann denken Sie daran, dass Verkäufer und die Menschen in Hollywood dies ebenfalls machen. Sie versetzen eine Person in Trance, bringen diese dann wieder zurück in die Realität und dann geht das Ganze wieder von vorne los. Bei dieser Technik erzählen Sie eine Geschichte, in der Emotionen schnell in Konflikt geraten und von glücklich bis traurig und wieder glücklich hin- und herschwanken. Die Gefühle Ihrer Zielperson sollten wie auf einer Achterbahn sein: hoch, runter, seitwärts! Ein bisschen Verwirrung ist gut. Intensivieren Sie die Gefühle im Laufe der Zeit. Sie können

---

[17] https://sibg.com/using-fractionation-in-seduction/

dies sogar in einem einzigen Satz tun, in dem Sie die wahrgenommene Schwäche der Frau oder Ihre Missbilligung ihrer positiven Eigenschaften bestätigen.

Anstelle der Geschichte können Sie der Frau auch Fragen stellen und sich von der Gegenwart in die Zukunft bewegen. Noch besser ist es, wenn Sie ihre positiven Gedanken an Sie bei ihr verankern. Sie können dies auch auf physische Art und Weise tun, indem Sie sie dazu bringen, Ihnen zu folgen. Bewegen Sie sich jedes Mal weiter weg. Können Sie über Textnachrichten fraktionieren? Als Teil der Versklavung von Angesicht zu Angesicht ja, doch dies funktioniert nicht von alleine. Textnachrichten sind gut, wenn Sie die Frau noch nicht so gut kennen und sich noch in der Interessen-/Rapport-Phase befinden. Wenn Sie bereits mit ihr zusammen sind - wenn Sie Ihre Frau zum Beispiel versklaven möchten - , sollten Sie die Anziehungskraft mithilfe implantierter Befehle vertiefen.

Sie müssen zwei Textnachrichten senden, um sicherzustellen, dass der Befehl durchrutscht und sie sich auf den zweiten Teil der Nachricht konzentriert, der sie verführt. Der Befehl wird durch den ersten Teil in ihr Unterbewusstsein eingepflanzt. Wie immer, besonders wenn Sie Missbilligung ausdrücken, müssen Sie dies auf selbstbewusste Art und Weise tun. Sie muss Sie verfolgen, nicht umgekehrt.

Die Black-Rose-Sequenz

Dies ist der letzte Schritt im IRAE-Prozess und die Versklavung ist hiermit abgeschlossen. Die Identität Ihrer Zielperson wird gelöscht und durch eine Identität ersetzt, die sich Ihnen emotional unterwirft. Denken Sie daran, wir sprechen nicht über körperliche Versklavung. Dies ist eine Form der Fraktionierung, bei der die Achterbahnfahrt sehr steil und dann wieder extrem flach verläuft. Sie verwenden Hypnose-Techniken, um sie so in den Charakter zu versetzen, den Sie erschaffen haben, sodass ihre Erfahrung mit Ihnen emotional intensiv ist. Sie wird diese Höhen und Tiefen in ihrem Körper spüren und sie wird von Vergnügen zu Schmerz hin-

und herschwanken. Dies führt zu einem Trance-Zustand, mithilfe dessen Sie eine unterwürfigere Identität einführen können.

Es ist einfacher, sie in die richtige Stimmung zu bringen, wenn Sie ihr sagen, sie solle so tun, als wäre sie hypnotisiert. Unser Verstand hat Schwierigkeiten damit, Rollenspiele zu spielen, daher hilft dieser Trick ihr dabei, in den Trancezustand zu schlüpfen, den Sie kreieren möchten. Sagen Sie ihr positive Dinge (nicht über ihren Körper, sondern über andere Eigenschaften, damit keine Selbstzweifel aufkommen). Anschließend erschaffen Sie eine lebendige Welt in der Zukunft und stellen sicher, dass Sie alle Sinne ansprechen. Wenn Sie zum Beispiel Sex einpflanzen möchten, dann können Sie lebhaft und anschaulich über eine zukünftige romantische Verstrickung sprechen. Sie sollten zu diesem Zeitpunkt nicht grob oder vulgär sein. Bauen Sie gegen Ende eine kleine Wendung ein – „Natürlich würde das nicht passieren!“ Sie können diesen Trick auch verwenden, um ihren Freund loszuwerden. Malen Sie das Bild eines Traummannes, dessen Eigenschaften Ihren ähnlich sind und mit dem ihr aktueller Liebhaber nicht mithalten kann.

Die Zukunftsprojektion ist der Schlüssel für die Frau, um diese emotionale Bindung an Sie und Ihre imaginäre Zukunft gemeinsam zu entwickeln.

Zusammenfassung des Kapitels

- Verdeckte und dunkle Taktiken nutzen die Kraft der Gedankenkontrolle, um die Frau zu bekommen und zu dominieren, die Sie wollen.
- Die Shogun-Methode verwendet einen vierstufigen Prozess sowie mehrere Sequenzen innerhalb dieser Schritte, um die gewünschte Frau zu steuern.

Im nächsten Kapitel werden wir uns auf die Geheimnisse erfolgreicher weiblicher Verführerinnen konzentrieren.

KAPITEL 8:

Die Geheimnisse der weiblichen Verführung

Obwohl Männer und Frauen ähnliche Dinge vom Leben wollen, so unterscheiden sich die Tricks, die eine Verführerin anwendet, dennoch ein wenig von ihren männlichen Kollegen. Wie bereits im Abschnitt „Das Paradoxe der Verführung" erwähnt wurde, wollen sowohl Männer als auch Frauen verführt werden. Auch Männer wollen den Nervenkitzel der Aufmerksamkeit spüren und den Charme und die Verlockung erfahren, die bei der Verführung eingesetzt werden.

Die Mehrdeutigkeiten der Verführung

Männer nutzten für lange Zeit ihre körperliche Kraft und ihren Status, um Frauen und andere Männer zu dominieren. Es sind jedoch nicht nur Männer, die anderen Menschen die Macht nehmen und sie zu ihrem Vorteil ausnutzen. Männliche Verführer sind eher ruhig und selbstbewusst, Frauen kleiden und schminken sich verführerisch, um einen potenziellen Partner anzuziehen. Sowohl Frauen als auch Männer sind ihrem „Eidechsenhirn" ausgeliefert - dem Teil unseres Gehirnes, den wir von unseren Reptilienvorfahren geerbt haben. Dieser Teil des Gehirnes unterscheidet sich stark von unserem rationalen, denkenden menschlichen Gehirn. Verführung spricht das Eidechsengehirn an und Logik und Vernunft bleiben auf der Strecke, wenn wir verführt werden. Dies gilt sowohl für Männer als auch für Frauen. Die Gesellschaft ist dafür gemacht, die rationalen, menschlichen Teile des Gehirnes anzusprechen. Doch eigentlich sind wir Menschen Tiere, die sich danach sehnen, in die Wildnis zurückzukehren.

Einführung in die Männerpsychologie

Ein einfacher Verführungstrick, der bei fast jedem Mann funktioniert: Finden Sie die Emotionen, die Ihre Zielperson am meisten verführen und geben Sie ihr reichlich davon. Wenn Sie mit einem Psychiater ausgehen, fühlt er sich gerne verständnisvoll. Geben Sie ihm das Gefühl, dass seine Erkenntnisse sowohl willkommen als auch erstaunlich sind. Männer sagen, dass sie Ehrlichkeit bei ihren Partnerinnen schätzen. Wenn Sie kosmetische Eingriffe, wie gemachte Brüste oder ein Facelifting hatten, dann fragen sich Männer, ob Sie auch in anderer Hinsicht unehrlich sind.

Hier ist ein Trick, an den Sie vielleicht nicht gedacht haben, wenn Sie sich einen intelligenten Mann wünschen: Schauen Sie sich seine Körperbehaarung an. Hohe Intelligenz bei Männern korreliert mit einer Fülle von Körperhaaren.[18] Das hätten Sie nicht erwartet, oder?

Obwohl Männer und Frauen sich ähnlicher sind als sie sich unterscheiden, beziehen sich einige spezifische Unterschiede darauf, wie Sie sich Männern nähern sollten, die Sie verführen möchten. Der Teil des Gehirnes, der die Menschen territorial macht, ist bei Männern größer als bei Frauen. Deshalb können Männer gewalttätig werden, wenn sie eine Bedrohung in ihrem physischen Gebiet bzw. in ihrem Beziehungsgebiet wahrnehmen. Dies gilt auch für die Amygdala, die Teil des Eidechsengehirnes ist, das an der Kampf- oder Fluchtreaktion, jedoch auch am sexuellen Verlangen beteiligt ist.

Schließlich ist der Bereich des Gehirnes, der der Sexualität gewidmet ist, bei Männern viel größer als bei Frauen. Die Körper von Jungen produzieren Testosteron, sobald sie ihre Teenager-Jahre erreicht haben - ca. 20 Mal so viele wie ihre weiblichen Altersgenossen, was bedeutet, dass sie hormonell und mental sehr an Sex

[18] https://www.dailymail.co.uk/femail/article-426320/The-psychology-seduction.html

interessiert sind. Dies ist auch der Grund dafür, warum sie beim Anblick weiblicher Brüste sexuell erregt werden - die visuellen Schaltkreise in ihrem Gehirn suchen ständig nach fruchtbaren Partnerinnen.[19] Das bedeutet nicht, dass er ständig an die Brüste denkt, die er sich gerade genau angesehen hat. Die Aufmerksamkeit kommt und löst sich dann auf. Danach denkt ein Junge über andere Dinge nach, wie zum Beispiel, was es zum Abendessen gibt. Verstehen Sie sein Pokerface jedoch nicht falsch. Seine emotionalen Reaktionen sind so stark und manchmal sogar stärker als die einer Frau - er versteckt seine Emotionen nur besser.

Vielleicht aus dem Grund, weil die visuellen Schaltkreise bei Männern stärker sind, müssen sie nicht viel Kontext oder eine Beziehung haben, um erregt zu werden. Eigentlich müssen sie nur die Körperteile sehen, die sie sehen wollen und schon können sie loslegen.[20] Deshalb funktioniert es so gut, sich verführerisch anzuziehen und auffälliges Make-up aufzutragen - Männer sind visuelle Wesen, Frauen jedoch nicht. Männer kommen mit Mehrdeutigkeiten in einer Hierarchie nicht gut zurecht. Ihr Gehirn bevorzugt eine klare Befehlskette und das Militär kann tatsächlich dazu beitragen, aggressives Verhalten einzudämmen, indem es diese Angst einfach verringert.[21]

Männer haben auch oft eine Reihe von Sexualpartnern - etwas Neues ist für alle Gehirne attraktiv und auf Männern lastet nicht der gesellschaftliche Druck, aufgrund ihrer Promiskuität abgelehnt zu werden. Einige Männer konzentrieren sich stark auf Frauen, die einsam sind oder etwas in ihrem Leben vermissen. Sie gehen möglicherweise offen mit ihren Absichten um und gehen davon aus, dass auch Frauen nach Sex suchen. Sex zu haben kann eine transzendente Erfahrung sein.

---

[19] http://edition.cnn.com/2010/OPINION/03/23/brizendine.male.brain/index.

[20] https://www.psychologytoday.com/us/blog/love-and-sex-in-the-digital-age/201506/what-turns-guys-understanding-male-sexual-desire

[21] https://www.livescience.com/14422-10-facts-male-brains.html

„Es ist die Ekstase, zu wollen und gewollt zu werden." - Anonym

Wenn Sie eine Frau sind, die sich für ältere Männer interessiert, dann wissen Sie, dass diese eine Phase namens Andropause durchlaufen. Wenn seine Frau Kinder hatte, sank sein Testosteronspiegel während der Schwangerschaft. Während der Andropause beginnt sein Körper tatsächlich damit, mehr Östrogen zu produzieren. Wenn sein Testosteronspiegel zu niedrig ist, wird ein Mann mürrisch und gereizt und muss möglicherweise Testosteron-Ergänzungspräparate einnehmen und sich mehr bewegen. Er könnte ein toller Großvater sein, wenn sein Körper große Mengen des Bindungshormons Oxytocin produziert. Es kann sein, dass ein Mann gegenüber seinen Enkelkindern liebevoller ist als er gegenüber seinen eigenen Kindern war. Ältere Männer sind sehr einsam, wenn sie Witwer sind bzw. nach einer Scheidung und Sie sind möglicherweise die richtige Person, um ihn wieder unter Leute zu bringen.

Frauen haben mehr Spiegelneuronen. Dies sind Nerven, die aktiviert werden, wenn man darüber nachdenkt, was eine andere Person tut. Sie sind der Schlüssel zu Empathie, weshalb Frauen oft emotionaler in Bezug auf ihre Partner eingestellt sind als Männer. Wenn Männer eine attraktive potenzielle Partnerin finden, dann setzt ihr Gehirn Dopamin frei. Dies geschieht unabhängig davon, ob sie eine Partnerin haben oder nicht. Die Entscheidung, Maßnahmen zu ergreifen oder nicht, kann je nach den Umständen katastrophal sein und dennoch tun Männer es weiterhin. Warum? Viel ist auf höhere Testosteronspiegel zurückzuführen. Ein Mann mit niedrigerem Testosteronspiegel ist besser dafür geeignet, eine Familie zu haben und daran festzuhalten. Untersuchungen zeigen, dass Männer mit höheren Testosteronmengen seltener heiraten - und wenn sie heiraten, ihre Frauen eher betrügen und/oder sich scheiden lassen.[22]

---

[22] https://www.menshealth.com/sex-women/a19516672/understanding-sex-and-the-brain/

Schöne Frauen lösen die größere Amygdala des Mannes ungefähr zur gleichen Zeit aus, zu der sich sein Entscheidungszentrum im präfrontalen Kortex (Teil des rationalen Gehirnes) deaktiviert - kein guter Zeitpunkt für gute Entscheidungen. Starke visuelle Schaltkreise bedeuten, dass Dopamin bei Männern durch wunderschöne Frauen und Pornos viel stärker aktiviert wird als bei Frauen. Frauen haben einen besseren Zugang zu ihrer rechten Gehirnhälfte, was gut und schlecht für Beziehungen ist. Es ist tendenziell eine negative Sache, weshalb Frauen teilweise häufiger depressiv werden als Männer. Doch sie sind ebenfalls gut darin, das Gesamtbild zu sehen, was dazu führt, dass Frauen Männern häufiger den Laufpass geben als umgekehrt. Frauen sind negativer eingestellt, können aber auch schneller sehen, wenn etwas nicht funktioniert.

Körpersprache und nonverbale Hinweise

Kommunikation wird nicht hauptsächlich in Worten ausgedrückt, wie viele von uns oft denken. Über die Hälfte des Nachrichteninhaltes wird mithilfe von Gesten, der Körperhaltung sowie unserer Mimik nonverbal übermittelt. Tatsächlich machen Wörter weniger als zehn Prozent der Kommunikation aus.[23] Viele Aspekte der Körpersprache sind für Männer die gleichen wie für Frauen. Wenn Sie gerade und mit zurückgezogenen Schultern dastehen, dann strahlt eine solche Körperhaltung Selbstvertrauen aus. Stehen Sie hingegen mit verschränkten Armen da, dann bedeutet dies Abwehrbereitschaft.

Zu den Anzeichen einer Verführung gehört längerer Augenkontakt. Augenkontakt zeigt Interesse an der anderen Person. Es kann ziemlich erotisch sein, wenn Sie eine Person lange anschauen und dann langsam wegsehen. Sie könnten auch langsam und offensichtlich Ihren Blick auf seine Lippen lenken. Befeuchten Sie Ihre Lippen, lächeln Sie kokett oder benutzen Sie ähnliche Gesichtsausdrücke. Auch Berührungen sind sehr suggestiv, wenn

[23] https://sexyconfidence.com/how-to-seduce-men-with-body-language/

diese richtig gemacht werden. Und ein positiver, angenehmer Tonfall macht ebenfalls einen großen Unterschied aus, wenn Sie jemanden verführen wollen.

Im vorherigen Kapitel haben Sie einige der Taktiken kennengelernt, mit denen Männer Frauen verführen. Dieselben Tipps können auch für Frauen funktionieren, die Männer verführen wollen. Vertrautheit weckt zum Beispiel Interesse. Männer müssen eine Frau bemerken, bevor sie sich von ihr angezogen fühlen können. Wenn Sie vor Ihrer Zielperson auf- und abgehen, dann gewöhnt sie sich daran, Sie zu sehen. Auch wenn Sie mit Ihrer Zielperson zusammenstoßen, insbesondere wenn Sie sich an einem überfüllten Ort befinden, wird dieses Ziel erreicht. Darüber hinaus fällt Bewegung ins Auge. Sie könnten sich dafür entscheiden, etwas fallen zu lassen - vielleicht nicht Ihr Telefon, das kaputt gehen könnte, sondern Ihre Schlüssel oder eine Serviette. Dies wird ebenfalls das Interesse der Zielperson erregen.

Eine andere Möglichkeit, um den Wunsch des menschlichen Gehirnes nach Neuheit auszunutzen, besteht darin, exotisch zu wirken. Wenn Sie einer anderen Kultur angehören oder eine andere ethnische Zugehörigkeit haben, dann betonen Sie dies. Betonen Sie Ihre Unterschiede zum Standard-Look. Dies wird Ihnen helfen, in der Menge wahrgenommen zu werden und auch diejenigen Männer ansprechen, die exotische Frauen mögen. Exotische Frauen versprechen allein durch ihr Äußeres Abenteuer, wenn sie nicht langweilig sind und/oder der Norm entsprechen. Unser Gehirn liebt auch Symmetrie, also tun Sie Ihr Bestes, um symmetrisch auszusehen. Die richtige Kleidung kann dabei helfen.

Lassen Sie Ihre Zielperson wissen, dass Sie ihre Vorgehensweise begrüßen. Besonders wenn Sie kleiner sind als der Mann, kann es sehr effektiv sein, den Kopf ein wenig zu senken und dann durch die Wimpern nach oben zu schauen. Machen Sie ein bisschen auf kleines Mädchen, weil Sie dadurch unschuldig erscheinen. Er wird wissen, dass Sie ihm nicht den Kopf abbeißen werden, wenn er anfängt, mit Ihnen zu sprechen.

Wenn Sie mit Ihrer Zielperson sprechen, machen Sie eine nette Bewegung. Neigen Sie zum Beispiel Ihren Kopf zur Seite. Es funktioniert! Zeigen Sie ein bisschen Verwundbarkeit, die besonders Männer anspricht, die sich gerne als Retter in der Not sehen. Berühren Sie Ihren Hals, was ein Zeichen von Schwäche ist. Oder Ihr Handgelenk, was ebenfalls ein Zeichen von Verwundbarkeit ist. Halten Sie Ihr rechtes Handgelenk mit Ihrer linken Hand fest. Auf diese Weise wirken Sie nahbar.

Ahmen Sie die Bewegungen nach, die er macht. Spiegeln Sie jemanden, an dem Sie kein Interesse haben? Natürlich nicht. Er wird die Nachricht verstehen. Verwenden Sie auch Ihre Körperhaltung, um ihn zu verführen. Wenn Sie Ihre Schultern zurückziehen und gerade stehen, werden die Brüste nach vorne gedrückt, was (viele) Männer gerne anschauen. Schenken Sie ihm ein echtes Lächeln, das auch Ihre Augen einbezieht, nicht das Lächeln einer Flugbegleiterin oder einer anderen Servicemitarbeiterin. Positionieren Sie sich mit Ihrem Bauchnabel genau dem Mann gegenüber (das klingt ein wenig merkwürdig). Selbst wenn Ihr Kopf abgewandt ist, zeigt der größte Teil Ihres Körpers in seine Richtung, was ihm sagt, dass Sie interessiert sind. Denken Sie daran, dass Bewegung Aufmerksamkeit erregt und spielen Sie mit Ihren Haaren. Zwirbeln Sie Ihre Haare und werfen Sie sie nach hinten, während Sie vor ihm stehen und lassen Sie so seiner Fantasie freien Lauf.

Das Spielen mit der Kleidung kann auch sehr sinnlich sein. Schieben Sie Ihren Fuß langsam und bewusst in Ihren Schuh hinein und aus ihm heraus. Kreuzen Sie Ihre Beine langsam und absichtlich und spielen Sie mit dem Anhänger, der direkt über Ihren Brüsten baumelt. Schwingen Sie Ihre Hüften. Beugen Sie sich zu ihm, was Interesse signalisiert. Sie sollten auch näher neben ihm stehen oder sitzen als Fremde dies normalerweise tun. Kommen Sie jedoch nicht zu nahe, also nicht in die Freundes- und Familienzone, bleiben Sie jedoch auch nicht zu weit entfernt, sodass er nicht weiß, ob Sie Interesse haben oder nicht. Sie können eine Schulter zu ihm drehen, die andere Hand auf diese Schulter legen und Ihre Hand an Ihre Wange lehnen - besonders, wenn Sie die ganze Zeit Augenkontakt haben.

Was vielleicht noch wichtiger ist: Stellen Sie sicher, dass Sie jene Kleidung und Accessoires tragen, in denen Sie sich gut fühlen. Auf diese Weise fühlen Sie sich selbstbewusster. Anstatt sich Gedanken über Ihren Rocksaum oder dem dummen Knopf zu machen, der immer wieder aus dem Knopfloch rutscht, können Sie sich darauf konzentrieren, wann Sie Ihr strahlendes Lächeln aufblitzen lassen oder Ihre Lippen suggestiv lecken möchten. Sie können auch im Moment der Verführung bleiben und das tun, was Ihnen als natürlich erscheint und was sich in dieser Sekunde richtig anfühlt. Dies ist die angenehmste Art, um mit einem Mann zusammen zu sein. Sie können seine Reaktionen lesen und dann mehr von sich preisgeben, was eine positive Reaktion hervorruft, um ihn anzulocken.

Verführerische Gedankenspiele

Jetzt, da Sie die Kunst beherrschen, körperliche Hinweise zu verwenden, um mit Ihrem Ziel zu spielen, ist es an der Zeit, ein paar Gedankenspiele zu spielen. Männer sollen vermeintlich ruhig, rational und logisch sein. Unvorhersehbar und irrational zu sein, schafft eine starke Anziehungskraft für einige Männer, die gerne in ein emotionales Spiel verwickelt werden. Sie können ihn auch mit gemischten Gefühlen in Aufregung versetzen, indem Sie zwischen Hitze und Distanz wechseln. Dies ist verwirrend, unvorhersehbar und wahrscheinlich auch neu für ihn.

Versuchen Sie es auch mit gemischten Signalen, wenn Sie ein wenig Spannung in die ganze Sache hineinbringen wollen. Push-Pull ist ein gutes Beispiel für ein solches Spiel, probieren Sie jedoch auch einige Variationen aus. Wirken Sie wie ein Engel, der jedoch auch ungezogen sein kann. Wenn Sie ein kindliches Gesicht haben, dann tragen Sie seriöse Kleidung wie ein Business-Kostüm. Oder Sie können ein weißes Kleid tragen, um einen unschuldigen Look zu generieren, das Kleid und die Accessoires jedoch SEHR freizügig gestalten. Wenn Sie ein Business-Kostüm tragen und so aussehen, als wären Sie eine harte Frau, dann verhalten Sie sich unterwürfig oder tragen Sie unschuldige Dessous darunter.

So wie die Dreiecksmethode bei Frauen funktioniert, so kann auch eine Frau mit Männern spielen. Machen Sie einen Mann eifersüchtig, indem Sie ihn an sich heranlassen und dann mit einem anderen Mann flirten. Machen Sie ihn emotional heiß, sodass er nur noch an Sie denken kann.

Frauen sollen entweder eine Madonna oder eine Hure sein, also seien Sie beides. Er wird von der Verwirrung überwältigt sein und nicht mehr wissen, wo oben und unten ist und er wird es lieben, am Schluss dennoch in Ihrem Bett zu landen. Wenn Sie mit ihm herummachen, genießen Sie die Freude und die Lustempfindungen. Hören Sie danach auf und zieren Sie sich ein wenig. Auch diese Verhaltensweise spielt mit der Unvorhersehbarkeit, die Männer so sehr mögen. Sie werden wahrscheinlich feststellen, dass ihnen diese Verhaltensweise ebenfalls gefällt. Die Männer werden vor Lust völlig den Verstand verlieren, müssen jedoch für ihr Objekt der Begierde kämpfen und zum Schluss gewinnen Sie sowieso. Doch ein Mann weiß das nicht, während Sie echte Spannungen erzeugen. Kurze Episoden extremer sexueller Handlungen in Verbindung mit einem Rückzug werden ihn total verrückt machen und dazu führen, dass er immer mehr von Ihnen will. Ein Wirbelwind der sexuellen Leidenschaft ist genau das, was er will und er will immer mehr davon. Natürlich dürfen Sie ihm nicht sofort alles geben - das ist zu langweilig und vorhersehbar. Locken Sie ihn an ungewöhnliche Orte, wie beispielsweise in einen Supermarkt, wo Sie ihn in seinem Schritt berühren können. Wenn Sie zusammen mit seinen Eltern zu Abend essen, können Sie seinen Schritt mit Ihrem Fuß unter dem Tisch ebenfalls berühren.

Seien Sie gefährlich - denken Sie daran, dass von einem Mann erwartet wird, dass er logisch sein soll. Also könnte ein Hauch von Verrücktheit genau das sein, was er sich insgeheim wünscht. Seien

Sie jedoch nicht total verrückt, nur ausreichend verrückt, sodass Sie unvorhersehbar sind. Umgekehrt stehen einige Männer auf mütterliche Handlungen. Also verhalten Sie sich ebenfalls entsprechend. Wickeln Sie ihn in die Bettdecke ein und küssen Sie ihn auf die Stirn. Dies ist eine großartige Möglichkeit, um einen Casanova für sich zu gewinnen. Oder ändern Sie Ihre Verhaltensweise so, dass Sie jugendlicher wirken. Männer lieben es, an ihre Jugend erinnert zu werden, besonders ältere Männer, die väterlich sein und trotzdem Sex bekommen können. Für sie ist dies eine starke Kombination. Insbesondere Sugar Daddys fallen ziemlich leicht darauf herein. Doch verhalten Sie sich nicht zu sehr wie ein Baby, da dies abstoßend wirkt.

Benutzen Sie Ihren Wortschatz. Es stimmt zwar, dass die Körpersprache in der Kommunikation wichtiger ist, doch warum lassen Sie nicht Ihre Worte wirken? Seien Sie nicht zu vulgär und fluchen Sie nicht: Sie wollen ja schließlich immer noch zeigen, dass Sie eine Top-Frau sind. Doch Sie können mit Ihren Worten unglaublich suggestiv sein, während Sie einige der im letzten Abschnitt beschriebenen Körpersprache-Techniken anwenden. Es funktioniert auch sehr gut, wenn Sie den Mann unterhalb der Gürtellinie berühren. Sie könnten „versehentlich" gegen seine Brust oder seinen Schritt stoßen oder ihn mit Ihren Brüsten oder Ihrem Schritt berühren. Sie können auch offensiver an die ganze Sache herangehen und ihn direkt fragen, ob er genug Mut und Kraft hat, um es mit Ihnen aufzunehmen. Das wird er sich mit Sicherheit nicht entgehen lassen. Und wenn doch, dann sind Sie sowieso nicht mehr an ihm interessiert, stimmt's?

Wenn er Sie betrogen oder auf andere Weise verletzt hat, dann sorgen Sie dafür, dass er sich schuldig fühlt. Lassen Sie ihn wissen, wie sehr er Sie verletzt hat. Diese Verhaltensweise funktioniert nicht bei einem Narzissten, dem es egal ist, ob er Sie verletzt und auch nicht bei einem Soziopathen, dem es um die Grausamkeit geht.

Apropos Grausamkeit: Sie müssen bei diesem letzten Gedankenspiel vorsichtig sein. Gewalt und emotionaler Missbrauch sind nichts, was man Menschen zufügen möchte. Allerdings können sexuelle Aggressivität, Gewalt und Anziehung in Kombination unglaublich stark sein. Sex während eines Streites kann absolut wundervoll sein und Aggressivität plus Sex, bei dem Sie den Mann dominieren, werden alle latenten masochistischen Tendenzen ansprechen, die er eventuell hat.

Die Auslösung emotionaler Anziehungskraft bei Männern

In vorherigen Kapiteln habe ich bereits erwähnt, dass Verführung ein Spiel der Emotionen ist. Obwohl Männer sich für logisch und rational halten, können sie, genauso wie Frauen, von ihren Emotionen mitgerissen werden. Tatsächlich muss ein Mann sein denkendes Gehirn beiseitelegen, damit er verführt werden kann. Das menschliche Gehirn liebt Muster und es liebt es, Muster zu erkennen. Der Trick besteht darin, dass Sie wissen, welche Muster Emotionen bei Männern freisetzen, da sich einige von den Emotionen unterscheiden, die bei Frauen wirken.

Menschen fühlen sich gut, wenn sie Fortschritte in Richtung eines Zieles machen. Oft sind die kleinen Erfolge schöner als das Ziel selbst. Aus diesem Grund empfiehlt die Theorie der Standardzielsetzung, dass Sie Ihre großen Ziele identifizieren und dann kleinere Ziele festlegen, damit Sie Ihre Fortschritte auf dem Weg zu Ihrem großen Ziel erkennen können. Wenn Sie bei einem Mann so tun, als seien Sie schwer zu bekommen, dann spielen Sie mit ihrem Jagdinstinkt. Ermöglichen Sie ihm kleinere Erfolge auf dem Weg zum richtigen Ziel, dem Sex mit Ihnen.

Stellen Sie sich ein kleines Mädchen vor, das mit seinem kleinen Rucksack aus einem vom Krieg zerstörten Land flieht und nicht weiß, wohin es gehen soll. Sie haben Mitleid mit diesem Mädchen, oder? Sie wollen ihm helfen. Doch wenn Sie sich vorstellen, dass Millionen von Menschen aus diesem Land fliehen und nicht wissen, wohin sie gehen sollen und nur das besitzen, was sie am Leib tragen, dann ist es schwieriger, Mitleid mit diesen Menschen zu empfinden. In der Forschung wird dieses Phänomen als Mitgefühlskollaps bezeichnet, welches deswegen auftritt, weil die Fähigkeit des Menschen, Mitleid zu empfinden, abnimmt, wenn es keinen sinnvollen Weg gibt, um zu helfen. Aus diesem Grund wird in gemeinnützigen Organisationen häufig ein bestimmtes Kind oder eine bestimmte Familie in ihren Spendenaufrufen erwähnt.[24] Männer sind von Natur aus weniger einfühlsam als Frauen. Sie wollen ihre Frau glücklich machen, aber dieses Ziel ist zu vage und sie wissen nicht wirklich, wie sie es anstellen sollen. Wenn Sie einem Mann keine konkreten Möglichkeiten geben, um Sie glücklich zu machen und sein Einfühlungsvermögen auszulösen, dann wird er sich nicht mehr für Sie interessieren. Männer mögen Missionen, also geben Sie ihm eine. Die Mission muss nicht darin bestehen, den Heiligen Gral zu finden, sondern es soll etwas sein, das er sich leicht vorstellen kann.

Der natürliche Instinkt der Menschen besteht darin, anderen einen Gefallen zu tun. Wir wurden sozialisiert, um anderen Menschen etwas zu geben, und das tun Frauen oft, wenn sie versuchen, einen bestimmten Mann anzulocken. Doch das ist nicht der richtige Weg, um wirklich eine Bindung aufzubauen. Bitten Sie ihn stattdessen um einen Gefallen. Untersuchungen zeigen, dass das menschliche Gehirn beim Geben eines Geschenkes stärker aktiviert wird als beim Empfangen.[25] Bitten Sie ihn, Ihnen etwas zu geben. Dies muss kein wirkliches Geschenk sein - Ratschläge sind besser. Bitten Sie ihn um Hilfe bei einem Problem, das Sie bei der Arbeit haben oder bitten Sie ihn darum, dass er herausfinden soll, welche neuen Reifen Sie an Ihrem Auto anbringen sollen.

---

[24] https://commitmentconnection.com/the-secret-to-understanding-what-triggers-attraction-in-men/
[25] https://www.huffpost.com/entry/how-to-scientically-trigger-his-emotional-desire_b_
59bab8b4e4b06b71800c3781

Männer wollen Beziehungen, die zu dem passen, was sie sind und wie sie sich selbst sehen wollen. Wenn ein Mann sich als Held sehen will, dann wird er mit einer Frau eine Beziehung aufbauen, die ihm erlaubt, dieser Held zu sein. Er muss genießen, wer er ist, wenn er bei Ihnen ist. Die meisten Männer wollen der Held sein. So wurden sie sozialisiert. Stellen Sie eine Verbindung mit ihm her, indem Sie ihm eine Geschichte erzählen, die einige Ihrer eigenen Bedürfnisse enthüllt und ihm dabei hilft, diese Bedürfnisse zu erfüllen. Nun fühlt es sich richtig für ihn an, bei Ihnen zu sein, weil Sie das Bedürfnis erfüllen, das er hat.

Auf diese Weise kann er die Version seiner selbst sein, die er sich immer gewünscht hat. Es gibt jedoch noch weitere Möglichkeiten, wie Sie für Männer emotional attraktiv sein können.

Geduld haben

Wir alle irren in dieser Welt umher, nachdem wir die Bedienungsanleitung verloren haben. Männer verlangen, genauso wie Frauen, nicht, dass beim ersten Mal alles gleich richtig gemacht wird. Ein Mann mag es auch, wenn eine Person zuerst fragt, wie er eine bestimmte Sache gemeint hat, bevor die Person beleidigt ist, weil er etwas nicht richtig formuliert hat. Denken Sie daran, Frauen haben die Oberhand, was die sprachlichen Aspekte des Gehirnes angeht.

Eine gute Zuhörerin sein

Entgegen der weit verbreiteten Meinung reden Männer gern. Es kann jedoch schwierig für sie sein, ernsthafte Diskussionen zu führen. Lassen Sie einen Mann seine Gedanken vollständig ausdrücken, bevor Sie zu Schlussfolgerungen gelangen.

Selbstbewusst sein

Verbringen Sie nicht zu viel Zeit damit, über Ihre Fehler zu sprechen, insbesondere über Ihre körperlichen Unzulänglichkeiten. Sorgen Sie dafür, dass er Sie als selbstbewusst wahrnimmt. Auf diese Weise entlasten Sie ihn, dieses Bedürfnis zu erfüllen.

Im Moment leben

Lassen Sie die Vergangenheit ruhen. Niemand hört wirklich gerne Erinnerungen an schlechte Ex-Freunde - noch weniger an gute! Genießen Sie die Beziehung, die Sie gerade führen. Diese Taktik hilft ihm auch dabei, sich im Vergleich zu Ihren früheren Beziehungen weniger unsicher zu fühlen.

Sich auf das Positive konzentrieren

Wer mag schon jemanden, der ständig nur die negativen Aspekte sieht? Männer jedenfalls nicht. Geben Sie ihren Ideen etwas Zeit, bevor Sie damit beginnen, Fehler zu kritisieren oder ihn auf seine Schwächen hinzuweisen.

Ehrlich und offen kommunizieren

Wenn es ein Problem gibt, dann lassen Sie es ihn wissen, damit er es beheben kann. Denken Sie daran, dass Männer weniger Empathie haben als Frauen. Aus diesem Grund sind sie schlechter darin, Gedanken zu lesen. Er kann es nicht tun, also erwarten Sie es auch nicht. Fragen Sie nach, um sicherzustellen, dass Sie seine Absichten verstehen, anstatt davon auszugehen, dass Sie wissen, was in seinem Kopf vor sich geht.

Geheimnisse für sich behalten

In einer starken Beziehung öffnen Sie sich gegenseitig und enthüllen Geheimnisse, die viele andere Menschen nicht über Sie wissen. Behalten Sie die Geheimnisse, die er Ihnen sagt, zu 100 % für sich. Niemand in Ihrer Familie muss seine Schwachstellen und Schwächen kennen und sie ihm während eines Streites vorhalten.

Den Aufwand schätzen

Niemand ist perfekt. Männer mögen es, wenn Sie anerkennen, dass sie echte Anstrengungen unternommen haben (wenn sie dies wirklich getan haben). Männer machen eine Sache wahrscheinlich beim ersten Versuch nicht richtig, doch sie haben es zumindest versucht und lieben es, wenn Sie das anerkennen.

Hot Buttons für den Heldeninstinkt

Jetzt wissen Sie, wie wichtig es ist, dass sich ein Mann wie ein Held fühlt, wenn Sie eine Beziehung mit ihm eingehen möchten. Wenn Sie wirklich in Not sind, dann kann dies ziemlich einfach sein. Aber was ist, wenn Sie nicht in Not sind? Glücklicherweise gibt es einige Methoden, auch ohne eine Krise in Ihrem eigenen Leben auszulösen. Selbst wenn Sie eine starke, unabhängige Frau sind, nutzen Sie seinen Heldeninstinkt, um eine Beziehung zu ihm aufzubauen.

Wir haben bereits darüber gesprochen, ihn um Hilfe oder Rat zu bitten. Sogar kleine alltägliche Dinge werden seinen Wunsch auslösen, ein Held zu sein. Möglicherweise sind Sie bereits Expertin, was die Reparatur von Autos und Toiletten angeht. Na und? Er darf Ihnen ruhig helfen. Wenn Sie Schwierigkeiten haben, ein Glas zu öffnen, dann bitten Sie ihn, dies zu tun. Dies ist eine winzige Sache, doch wenn Sie zeigen, dass Sie diese Geste zu schätzen wissen, dann wird er sich wie der Held fühlen, der er sein möchte.

Er wird es auch sehr schätzen, wenn Sie ihn einen Mann mit männlichen Hobbys und männlichen Dingen sein lassen. Männer mögen die Tatsache, dass Sie weiblich sind, doch sie wollen nicht unbedingt selbst weiblich sein. Wenn seine Wohnung unordentlich ist, wen interessiert das? Sie verbringen einfach gerne Zeit mit ihm. Wenn Sie die Sportarten, die er sieht, nicht mögen, dann zwingen Sie ihn nicht dazu, Ihre Lieblingsfilme und -serien anschauen zu müssen.

Genau wie Frauen mögen es auch Männer nicht, wenn alles zu einfach ist. Sie mögen eine kleine Herausforderung, was ein weiterer Grund dafür ist, so zu tun, als seien Sie schwer zu bekommen. Sie können auch andere Herausforderungen und Möglichkeiten finden, damit er Ihren Respekt verdient. Geben Sie ihm dies nicht automatisch, sondern lassen Sie ihn dafür arbeiten. Lassen Sie sich von einem Mann erobern, indem er die Herausforderung, die Sie ihm gestellt haben, erfolgreich besteht.

Die Sprache des männlichen Verlangens

Emotionale Auslöser sind für Männer und Frauen unterschiedlich, ebenso wie die Sprache, die uns Menschen erregt und nervös macht. Stellen Sie sicher, dass er die Wörter hört, die auch für ihn funktionieren. Einige Wörter mögen Ihnen ein wenig albern erscheinen, aber Sie lösen seine Zuneigung Ihnen gegenüber aus, damit Sie eine tiefere Beziehung zueinander aufbauen können - und zwar in einer Sprache, die beim männlichen Gehirn funktioniert. Sagen Sie ihm, dass Sie ihm gehören. Auf diese Weise signalisieren Sie ihm die Loyalität, nach der er sich sehnt. Sie könnten ihm auch sagen, dass Sie nur ihn wollen, was seine Angst lindert. Versichern Sie ihm, dass Sie mit ihm zusammen in einem Team sind, was seine finanziellen Sorgen lindern wird.

Wie wir bereits besprochen haben, sind Männer visuelle Wesen und wenn sie einige seiner körperlichen Eigenschaften auf eine Weise ansprechen, die ihn selbstbewusster macht, dann werden Sie großartige Erfolge erzielen. Sie können auch dazu beitragen, seine Unsicherheiten in Bezug auf die Größe auszuräumen (Und die meisten Männer haben diese Unsicherheit, auch wenn sie dies nicht sofort zeigen). Oder der Klassiker: „Hast du trainiert?" Frauen gehen ins Fitnessstudio, aber Männer trainieren. Auf diese Weise können Sie seiner Männlichkeit schmeicheln und gleichzeitig alle Probleme in Bezug auf körperliche Unsicherheiten lindern, die er möglicherweise hat. Wenn Sie diesen Heldeninstinkt in ihm auslösen möchten, lassen Sie ihn wissen, dass Sie sich dadurch sicher fühlen.

Schätzen Sie die Dinge, die er für Sie tut, während Sie Ihre Verwundbarkeit zeigen. „Als ich dich kennenlernte, war ich mir nicht sicher, ob ich dich verdient habe, aber du weißt immer das Richtige zu sagen, wenn ich mich schlecht fühle." Lassen Sie ihn wissen, dass er Sie auch dann erregt, wenn er normale Dinge tut, wie beispielsweise, indem er Sie umarmt. Dadurch sorgen Sie dafür, dass er der Überzeugung ist, dass Sie stets an ihn denken und von ihm fantasieren.

Und vergessen Sie nicht, ihm zu sagen, dass Sie ihn lieben!

Zusammenfassung des Kapitels

- Das Gehirn von Männern ist visueller orientiert und strotzt nur so vor Testosteron, weswegen es bei Männern unterschiedliche Auslöser gibt. Dazu gehören der Nervenkitzel der Jagd sowie die visuelle Freude an Dessous.
- Körpersprache und nonverbale Hinweise eignen sich sehr gut für visuell orientierte Männer, um auf sich aufmerksam zu machen und die Anziehungskraft zu intensivieren.
- Verschiedene Gedankenspiele und emotionale Auslöser sowie eine spezifische Sprache werden Männer so lange an Sie binden, wie Sie möchten.
- Dies gilt insbesondere dann, wenn Sie seinen Heldeninstinkt auslösen und ihm erlauben, Ihr Held zu sein - es genügt bereits in kleinem Ausmaß.

Im nächsten Kapitel lernen Sie, wie Sie Verführungstechniken außerhalb einer romantischen oder sexuellen Beziehung anwenden.

KAPITEL 9:

Angewandte Verführung

Bisher ging es in unserer Diskussion hauptsächlich um die romantische bzw. sexuelle Verführung. Doch wenn Sie Personen bei der Arbeit oder in Ihrem Alltag verführen möchten, dann können Sie ebenfalls große Erfolge erzielen. Natürlich werden Sie bei Ihren Vorgesetzten oder anderen Kollegen auf ganz andere Weise vorgehen. Sie können jedoch einige derselben Techniken auf unterschiedliche Weise anwenden, allerdings mit dem gleichen finalen Ziel - nämlich von anderen Menschen das zu bekommen, was Sie wollen.

Sich selbst zu einem Karriereschub verhelfen

Lassen Sie die Dinge, die Sie über romantische Verführung gelernt haben, das Potenzial für mehr Karrieremöglichkeiten freisetzen.

Verwenden Sie einen kreativen Ansatz, um an den Torhütern vorbeizukommen

Sie wissen, dass Sie den Geschäftsdeal - oder den Job - bekommen könnten, wenn Sie nur die richtigen Leute treffen könnten. Aber diese Menschen sind normalerweise sehr beschäftigt und haben Leute eingestellt, um zu verhindern, dass sie von Verkäufern oder Bewerbern gestört werden. Die Torhüter können die Rezeptionistin, der persönliche Assistent oder sogar die Personalabteilung sein. Sie haben dieselben Sprüche millionenfach gehört und sind es leid. Diese Torhüter fangen Sie ab, bevor Sie überhaupt eine Chance bekommen.

Wenn Sie die Torhüter mit einer Sache überraschen, die sie nicht erwartet haben, können Sie direkt an ihnen vorbeigleiten, bevor diese überhaupt wissen, was passiert ist. Auch eine interessante oder kreative Geschichte könnte funktionieren.

Auf LinkedIn, einer sozialen Plattform hauptsächlich für Business-to-Business-Unternehmen (B2B), sah ich einen Beitrag, in dem beschrieben wurde, wie ein Bewerber als Zusteller bekleidet ein Büro betrat und eine Schachtel Donuts zusammen mit seinem Lebenslauf auslieferte. Auf diese Weise schaffte es der Bewerber direkt an den Torhütern vorbei!

Seien Sie nicht langweilig

Die Liebe des menschlichen Gehirnes in Bezug auf neue Dinge beschränkt sich nicht nur auf Sexualpartner. Unser menschliches Gehirn liebt alle neuen Dingen. So wie Sie einen potenziellen Liebhaber nicht zu Tode langweilen sollten, sollten Sie auch keinen potenziellen Geschäftspartner zu Tode langweilen. Sprechen Sie über etwas anderes. Machen Sie im Interview etwas anderes, damit sich Ihr Gegenüber mit Ihnen beschäftigen muss. Seien Sie lustig und interessant, genau wie bei einer neuen Zielperson, die Sie verführen wollen.

Zeigen Sie Ihren sozialen Beweis

So wie ich Ihnen empfohlen habe, mit zahlreichen attraktiven Leuten in einen Club zu gehen, um Ihre tolle Ausstrahlung zu demonstrieren, freuen sich Unternehmen darüber, dass Sie mit anderen bekannten Unternehmen zusammengearbeitet haben. Wenn Sie es bei anderen bekannten Unternehmen geschafft haben, dann können Sie es überall schaffen: Das ist der Sinatra-Test.[26] Bei Freiberuflern und Beratern werden soziale Beweise häufig in Form von Testimonials oder Fallstudien dargestellt.

---

[26] https://www.news.com.au/finance/work/seduction-tactics-to-boost-your-career/news-story/6fce129b118a03dfde4b68c4169ababf

Sie sind der Preis, also prahlen Sie ruhig ein wenig

Die Leute mögen selbstbewusste Menschen und dies ändert sich nicht, nur weil Sie sich im Sitzungssaal anstatt im Schlafzimmer befinden. Wenn Sie bedürftig und verzweifelt wirken, sind beide Geschlechter abgetörnt, und zwar unabhängig davon, ob Sie versuchen, ein Produkt oder sich selbst als neuen Mitarbeiter des Unternehmens zu verkaufen. Wenn Sie ein Bewerbungsgespräch haben, dann stellen Sie sicher, dass auch Sie die Mitarbeiter des Unternehmens interviewen, um sicherzustellen, dass dieses Unternehmen auch zu Ihnen passt. Tun Sie so, als hätten Sie so viele Unternehmen, die Sie einstellen wollen. Sie können wählen, mit wem Sie zusammenarbeiten.

Genau wie bei der Suche nach einem neuen romantischen Partner kann es wahr sein oder eben auch nicht, von vielen anderen umworben zu werden. Aber es ist eine gute Taktik, so zu handeln, als ob es so wäre. Prahlen Sie ruhig ein wenig. Sagen Sie Ihrem Gegenüber nicht nur das, was er hören will. Das ist ein großer Abtörner!

Fallen Sie nicht auf die Tests Ihres Gegenübers herein

In ähnlicher Weise können Sie von Interessenten, Kunden und Interviewern getestet werden, um zu sehen, wie weit sie gehen können. Es kann passieren, dass sie Ihr Gehalt bzw. Ihre Preise herunterhandeln. Wenn das, was Ihnen Ihr Gegenüber anbietet, für Sie nicht funktioniert, dann stellen Sie sicher, dass Ihr Gegenüber dies weiß. Wirken Sie nicht so verzweifelt, sodass Sie bereit sind, einen Verlust zu erleiden, nur um mit dem Unternehmen zusammenzuarbeiten.

Seien Sie attraktiv, damit das Unternehmen zu Ihnen kommt

Sie sind cool, ruhig und gefasst und ziehen das Unternehmen an, anstatt ihm hinterherzulaufen. Kommt Ihnen das bekannt vor? Sie sollen Ihren Preis auch nicht senken (siehe oben), da Sie nicht aufgrund der Kosten von den Menschen eingestellt werden. Wenn Sie Ihren Preis senken, sind Sie nicht attraktiver, sondern nur weniger profitabel.

„Sei die Flamme, nicht die Motte." - Casanova

Jagen Sie Ihren Kunden oder Verkäufen nicht nach. Seien Sie so attraktiv, dass Sie die Flamme sind und Kunden (oder Personalchefs) stattdessen zu Ihnen kommen.

Flirten Sie weiter, nachdem Sie den Deal abgeschlossen haben

Pflegen Sie Ihre Kunden auch nach dem Kauf weiter. Dies wird Ihnen helfen, den Folgeumsatz sowie Ihre Empfehlungen zu steigern. Halten Sie die Beziehung aufrecht und Sie werden ein wahrer Star-Verkäufer, anstatt den Deals hinterherzujagen. Ein Wort der Warnung: Wenn Sie die Taktik der Distanzierung anwenden, dann werden Sie Ihre Kunden nicht so anlocken wie diese Taktik romantische Partner anlockt.

Verführung in den Bereichen Business, Marketing und Vertrieb

Geben Sie Ihren (Geschäfts-)Partnern genügend Informationen über Sie und/oder Ihr Unternehmen oder Produkt, um sie zu verführen. Erwecken Sie ihre Neugier sowie ihr Interesse, genau wie Sie es bei einer romantischen Zielperson tun würden. Verwenden Sie Ihren kompletten sozialen Charme. Zum Beispiel machen einige Leute auf witzig, andere auf süß. Einige spielen mit ihrer Intelligenz. Was auch immer instinktiv zu Ihnen kommt, verwenden Sie es.

Die Leute wollen nicht für dumm verkauft werden, also besteht der Trick darin, sie für dumm zu verkaufen, ohne dass sie es merken. Das hört sich zwar schwer an, doch die Taktiken der Verführung helfen Ihnen dabei. Sie können Ereignisse kreieren, die nicht wie Marketingtaktiken erscheinen, obwohl dies natürlich der Fall ist. Obwohl Männer visueller orientiert sind als Frauen, sind so ziemlich alle Menschen in einem gewissen Ausmaß visuell eingestellt. Stellen Sie sicher, dass Ihr Marketing genügend Bilder enthält, um Ihren Standpunkt zu verdeutlichen. Ich habe in den vorherigen Kapiteln die Tatsache besprochen, dass es bei der Verführung darum geht, ein Bedürfnis oder einen Mangel zu befriedigen, den jemand hat. Im Verkauf funktioniert es genauso. Sie entwickeln eine Verbindung zu Ihren Interessenten und Kunden, damit Sie deren Bedürfnisse verstehen.

Die meisten Kunden benötigen das Produkt oder die elektronische Spielerei oder den von Ihnen verkauften Service nicht wirklich. Was sie brauchen, ist eine Bestätigung durch ihren Vorgesetzten. Sie brauchen eine Möglichkeit, um ihre Arbeit schneller zu erledigen, nicht um der Arbeit willen, sondern um früher nach Hause zu gehen und Zeit mit ihren Familien zu verbringen. Sie suchen nach einer Möglichkeit, um Geld zu sparen, um mehr Budget für andere Projekte bereitzustellen oder um vor ihren Vorgesetzten gut auszusehen.

Außerdem mögen Kunden Dinge, nach denen sie streben. Ihr Produkt hilft ihnen, eine bessere Version von sich selbst zu sein. Sie müssen nur herausfinden, welche Version das ist und darauf abzielen. Verkaufen Sie Staubsauger? Ihr Interessent benötigt keinen Roboterstaubsauger mit einem Fassungsvermögen von drei Litern. Er will mehr Zeit haben, die er mit seiner Familie verbringen kann. Während Sie die Beziehung zu Ihrem potenziellen Kunden entwickeln, decken Sie diese Bedürfnisse auf und positionieren sich dann als die perfekte Person mit dem perfekten Produkt oder der perfekten Dienstleistung, um dieses Bedürfnis zu befriedigen. Die Leute kaufen nicht aufgrund von Logik und Vernunft. Sie kaufen aufgrund von Emotionen, die auch die Grundlage für Verführung sind.

Bauen Sie emotionale Verbindungen zu Ihren Zielpersonen auf. Sie können ihnen Fragen stellen, die die Kunden zu Ihnen und zu Ihrem Produkt tendieren lassen, wenn Sie diese Fragen richtig stellen. Sie können die Umgebung auch musikalisch, aromatisch und visuell ansprechend gestalten, um Ihre Kunden zu beeinflussen.

Denken Sie daran, dass es Zeit braucht, um diese Beziehungen aufzubauen. Wenn Sie in den Club gehen, schaffen Sie es meistens nicht, innerhalb von kürzester Zeit nach dem Kennenlernen Sex mit Ihrer Zielperson zu haben. Sie müssen die Anziehungskraft und den Komfort entwickeln, bevor Sie „den Sack zumachen“. Wenn Sie sofort nach der Vorstellungsrunde in eine harte Verhandlungsrunde gehen, dann wird diese Vorgehensweise nicht viele Erfolge mit sich bringen. Nehmen Sie sich Zeit, um zuerst die Verbindung zu Ihrem Kunden aufzubauen, anstatt ihn abzuschrecken. Manchmal funktioniert es jedoch einfach nicht. Es findet kein Verkauf statt. Hängen Sie dem nicht nach, damit Sie frei für den nächsten Interessenten werden. Wenn Sie zu sehr an das Ergebnis gebunden sind, ist jede Ablehnung schlimm für Sie.

Wenn Sie mit Verführungstaktiken verkaufen, dann müssen Sie am Ende des Tages weniger arbeiten. Sie jagen nicht so vielen potenziellen Neukunden hinterher, sondern arbeiten nur mit den gut qualifizierten, die mit Ihnen Geschäfte machen möchten. Das Verführen Ihrer Interessenten kann mehr Spaß machen, da es um Geschicklichkeit anstatt um knallharte Zahlen geht. Der digitale Inhalt ist der Köder, den Sie verwenden müssen. Sobald Sie diesen Köder erstellt haben, können Sie in viele verschiedene Pools eintauchen, um zu sehen, welche Kunden häufig darauf anspringen, ohne dass Sie mehr Arbeit damit haben. Die Interessenten qualifizieren sich selbst und kommen schließlich zu Ihnen. Sie können ihnen dabei helfen, sich selbst zu qualifizieren, indem Sie ihnen das Gefühl geben, Mitglied eines Elite-Clubs zu sein. Ihr Produkt ist nicht für jeden geeignet. In der Tat könnte Ihr Produkt für einige sogar zu leistungsfähig sein.

Schalten Sie das Telefon aus, wenn Sie mit Ihren selbst qualifizierten Interessenten zusammen sind oder wenn Sie sich mit anderen potenziellen Neukunden treffen. Zu sehen, wie ein

Verkäufer von seinem Telefon abgelenkt wird, wirkt sich nachteilig für das Geschäftliche aus. Hören Sie auf das, was der Kunde zu sagen hat. Jeder mag ungeteilte Aufmerksamkeit. Konzentrieren Sie sich auf den Kunden (und nicht auf Ihre Provision). Ich wünsche Ihnen viel Erfolg! Wenn Sie die Methoden der Verführung richtig anwenden, dann werden Sie wahrscheinlich feststellen, dass die Verführung besser ist als der Abschluss selbst. Dies funktioniert dann am besten, wenn Sie wirklich an das Produkt oder die Dienstleistung glauben, die Sie verkaufen. Wenn Sie dies nicht tun, ist es sehr schwierig, sich selbst davon zu überzeugen, dass Sie Ihren Interessenten und Kunden einen Gefallen tun, indem Sie ihnen das Produkt bzw. den Service anbieten. Visualisieren Sie Ihren Erfolg als Teil der richtigen Einstellung.

Stellen Sie sich vor, wie Sie Einwände überwinden, ohne verzweifelt zu wirken. Stellen Sie sich vor, dass Sie sich mit dem Kunden unterhalten und die Informationen, die Sie zur Lösung des Problems benötigen, erhalten. Unser Verstand kann den Unterschied zwischen einer realen und einer imaginären Szene nicht erkennen, also versorgen Sie ihn mit erfolgreichen Szenen. Stellen Sie sicher, dass Ihre Visualisierung auch Emotionen und andere Sinne enthält, damit eine vollständige Erfahrung gewährleistet ist. Sie können sich auch vorstellen, wie das Leben für Ihren potenziellen Kunden ist, indem Sie sich in seine Lage hineinversetzen und die Welt aus seiner Perspektive anstatt aus Ihrer Perspektive betrachten. Wenn Sie etwas verkaufen, dann bieten Sie Ihren Kunden eine lebhafte Vorstellung in Bezug auf die Vision, wie sein Leben aussehen wird, wenn Sie sein Problem gelöst haben. Verschieben Sie den Fokus Ihres Kunden, mithilfe von packenden Schlagzeilen und ein wenig Drama, auf sich selbst. Verwirren Sie Ihren Kunden und verwenden Sie viel Humor, solange Sie sich nicht albern verhalten.

Ihre Kunden und Interessenten müssen die richtige Einstellung haben und bereit sein, zu kaufen, wenn Sie tatsächlich mit dem Verkaufsprozess beginnen. Sie können diesen Prozess unterstützen, indem Sie die Kunden auf eine mentale Reise mitnehmen (normalerweise mithilfe einer Geschichte), die sie glauben lässt, dass sie ein Bedürfnis nach dem haben, was Sie verkaufen.

Sie haben die Kontrolle und zeigen dies, indem Sie selbstbewusst sind, jedoch ohne ein Tyrann zu sein oder Leute herumzukommandieren. Wie bereits erwähnt, werden Menschen gerne geführt. Seien Sie der Anführer, der sie glauben lässt, dass es die Idee Ihrer Kunden war, Ihr Produkt bzw. Ihre Dienstleistung zu kaufen und nicht Ihre. Sie können auch das „Guru-Phänomen" verwenden, um den Umsatz zu steigern. Manchmal verkauft sich ein Produkt erst dann, wenn ein Guru, Influencer oder Experte es für gut befunden hat. Wenn Sie keinen Guru zur Hand haben, können Sie einfach eine Autoritätsperson in diesem Bereich zitieren. Sorgen Sie dafür, dass die Fantasie Ihres Kunden keine Grenzen mehr kennt. Möchten Sie dieses Konzept noch weiter auf die Spitze treiben? Auch Sie können ein Guru oder Experte auf diesem Gebiet werden. Positionieren Sie sich so, dass Sie einen Vorsprung bei der Sache haben, die Ihre Kunden suchen. Helfen Sie ihnen dabei, ihre Wahrnehmung in Bezug auf Sie zu verändern. Sie können Ihren Kunden beispielsweise zusätzliche Tipps und Ratschläge geben.

Wenn Sie mit potenziellen Neukunden verhandeln, sollten Sie ein wenig mysteriös erscheinen, so als hätten Sie noch eine Trumpfkarte im Ärmel, die Sie noch nicht gespielt haben, weil Sie es nicht mussten. Sie sind nicht verzweifelt und brauchen nicht unbedingt einen Erfolg, weil Sie zu selbstbewusst dafür sind. Ihr Verhandlungspartner muss zu Ihnen kommen und Sie davon überzeugen, wie gut seine Lösung für Sie ist. Auch dies sollte Ihnen mittlerweile ziemlich vertraut vorkommen.

Nochmal in eindeutigen Worten: Versuchen Sie nicht, die andere Partei zu benutzen oder zu manipulieren. Sie sind einfach nur selbstbewusst und haben die Macht, was Sie sehr attraktiv in der Geschäftswelt wirken lässt. Seien Sie nicht zu allen Tageszeiten verfügbar und erzählen Sie dem Interessenten nicht sofort alles über sich. Es ist attraktiv, sich ein bisschen Exklusivität zu bewahren. Möchten Sie jemanden in der Medienbranche ansprechen?

Vielleicht suchen Sie für Ihr Produkt oder Ihre Dienstleistung eine weitere Meinung. Hier ist ein weiterer guter Bereich, um Ihre Verführungstechniken zu üben. Journalisten sind auch Menschen. Gestalten Sie Ihre Einführung optimal und halten Sie Ihre Präsentation kurz. Seien Sie präzise, sodass Ihre Botschaft klar ist. Würden Sie eine Massen-E-Mail an alle Personen senden, die Sie kennen, wenn Sie auf der Suche nach einem Date sind? Das würde niemals funktionieren und funktioniert auch nicht bei Medienkontakten. Senden Sie personalisierte Nachrichten, die auf Ihre Zielperson zugeschnitten sind. Stellen Sie sicher, dass Sie die richtige Zielperson im Blick haben. Wenn es sich bei Ihrer Nachricht um Konsumgüter handelt, senden Sie diese nicht an den Reporter, der über Auslandsthemen berichtet.

Haken Sie nach, jedoch nicht auf lästige Art und Weise. Manchmal gehen E-Mails unter oder die Journalisten selbst sind arbeitstechnisch völlig überlastet. Wenn Sie keine Antwort erhalten haben, versuchen Sie es erneut. Doch seien Sie auch nicht zu aufdringlich.

Sobald Sie Ihre Zielperson „eingefangen" haben, flirten Sie weiter. Pflegen Sie die Beziehung, und zwar genauso, wie Sie es mit anderen Geschäftskontakten tun.

Diese Vorgehensweise lässt sich in drei Hauptkategorien unterteilen. Wenn Sie verführerische Verkaufs- und Marketing-Techniken einsetzen, gehen Sie wie folgt vor:

1. **Ihre Zielpersonen anlocken**

   Ihre Kreativität, Ihr Humor und Ihr Selbstvertrauen sollten dafür sorgen, dass Interessenten und Kunden zu Ihnen kommen, und zwar wegen Ihnen und Ihrem Produkt, um zu erfahren, dass dieses Produkt nur für Ihre Kunden und deren Bedürfnisse entwickelt wurde.

2. **Ihre Kunden bereichern**

   Stellen Sie eine dauerhafte Verbindung zu Ihren Kunden her, indem Sie eine Beziehung zu ihnen aufbauen, ihnen zuhören und herausfinden, was ihre Bedürfnisse sind.

3. **Ihren Kunden Möglichkeiten an die Hand geben**

   Sorgen Sie dafür, dass sich Ihre Kunden vorstellen können, was für ein komfortables und kostengünstigeres Leben sie führen werden, wenn sie auf Sie hören. Wenn Sie ihnen eine tolle Zukunft ausmalen, dann glauben Ihre Kunden daran, dass Sie die Antwort auf ihre Probleme sind.

Alltägliche Verführung

Indem Sie andere Menschen verzaubern, können Sie sie dazu verleiten, Ihnen zu geben, was Sie wollen, solange es in ihrer Macht steht, dies zu tun. Es gibt viele Bereiche außerhalb des Geschäfts- und Beziehungsumfeldes, in denen ein wenig Verführung viel bewirkt.

Wunsch

Zunächst müssen Sie sich darüber im Klaren sein, was Sie wollen. Wenn Sie das nicht wissen, können Sie die Schritte nicht herausfinden, um dorthin zu gelangen, geschweige denn, jemanden dazu verleiten, Ihnen dabei zu helfen. Andere Menschen müssen verstehen, worum Sie bitten, um es Ihnen zu geben. Angenommen, Sie gehen in den Club, sind sich aber nicht ganz sicher, warum Sie dort sind. Wollen Sie mit Ihren Freunden Spaß haben? Wollen Sie einen Mann für Sex finden? Wollen Sie eine Frau finden, mit der Sie eine Beziehung beginnen können? Abhängig von Ihrem Ziel für den Abend werden Sie die Dinge sehr unterschiedlich angehen. Sie nähern sich Ihren Freunden nicht so, wie Sie sich einem potenziellen Liebhaber nähern würden.

Sobald Sie herausgefunden haben, was Sie wollen, wissen Sie, welche Sprache Sie verwenden müssen und worum Sie bitten bzw.

wonach Sie andere Menschen fragen müssen, um Unterstützung zu erhalten. Sie sind somit in einer Situation, in der Sie wissen, was Sie tun müssen, um das zu bekommen, was Sie sich wünschen.

Selbstbewusstsein

Inzwischen haben Sie erkannt, dass Verführung viel damit zu tun hat, andere Menschen zu führen und zu leiten. Möglicherweise möchten Sie nicht immer deutlich machen, dass Sie derjenige sind, der die Kontrolle hat, da einige Leute glauben wollen, dass sie selbst die Kontrolle haben. Dies sollte Sie jedoch nicht stören, da Sie wissen, dass diese Leute falsch liegen. Um jedoch geführt zu werden, müssen die Menschen an den Anführer glauben. Wenn sie dies nicht tun, werden sie sich einfach weigern, dem Anführer zu folgen. Das bedeutet, dass Sie wie der Anführer handeln und sprechen müssen, der Sie sind. Dies ist viel einfacher, wenn Sie Selbstsicherheit ausstrahlen. Es handelt sich hierbei um eine Einladung an die Menschen, die Ihnen folgen wollen, weil ihnen dies signalisiert, dass hier jemand ist, der weiß, was er tut. Dies gilt insbesondere für Männer, die klare soziale Hierarchien benötigen, um sich wohlzufühlen.

Non-verbale Kommunikation

Unser Körper erzählt den größten Teil der Geschichte. Stellen Sie also sicher, dass Sie wissen, wie Sie Ihren Körper einsetzen. Auch wenn Sie sich nicht besonders selbstsicher fühlen, so können Sie dennoch selbstbewusste Posen einnehmen. Wenn es um das Thema Selbstvertrauen geht, dann funktioniert Vortäuschung tatsächlich. Stehen Sie mit einer aufrechten Körperhaltung und geraden Schultern da. Dies ist eine selbstbewusste Körperhaltung, ebenso wie das Stehen mit weit gespreizten Beinen, um den Raum einzunehmen, den Sie verdienen. Halten Sie Ihren Kopf gerade und stellen Sie direkten Augenkontakt her. Es sind Menschen ohne Selbstvertrauen, die auf ihre Füße schauen, auf die Tür - quasi überall hin, außer in das Gesicht der Person, mit der sie sprechen.

Mithilfe Ihres Körpers können Sie ausdrücken, was Sie wollen und was nicht, ohne dabei Worte zu verwenden. Verwenden Sie Ihre verschränkten Arme als Schutzschild, lehnen Sie sich von einer Person weg, die in Ihrer Privatsphäre eingedrungen ist und lassen Sie somit die Leute wissen, dass sie nicht willkommen sind. Aus dem gleichen Grund signalisieren Augenkontakt, Lächeln und Weglegen des Telefons positive Absichten gegenüber Ihrer Zielperson.

Erregung

Damit Ihre Zielperson das tut, was Sie möchten, muss sie eine emotionale Anziehungskraft in Bezug auf Sie verspüren, die stark genug ist, damit sie jegliche Art von Trägheit überwindet. Sobald Sie das Bedürfnis Ihrer Zielperson herausgefunden haben, wird diese tun, was Sie wollen. Verführung ist eine Möglichkeit, um zu verstehen, was die andere Person will. Erst wenn Sie ihr emotionales Bedürfnis befriedigt haben, können Sie sie dazu bringen, das zu tun, was Sie von ihr wollen.

Zusammenfassung des Kapitels

- Beim Thema Verführung geht es nicht nur um Sex.
- Ähnliche Methoden der Verführung, über die wir in vorherigen Kapiteln gesprochen haben, können Ihnen auch dabei helfen, Ihre Karriere voranzutreiben.
- Sie werden in den Bereichen Arbeit, Marketing und Vertrieb besser abschneiden, wenn Sie Verführungstechniken anwenden, wie zum Beispiel die emotionalen Bedürfnisse von Ihren Mitmenschen entdecken und sie erfüllen.
- Es gibt viele Situationen im täglichen Leben, in denen Ihnen die Verführung anderer Menschen das bringt, was Sie wollen.

Im nächsten Kapitel lernen Sie, wie Sie mit Verführung Ihren Weg durch das Leben finden.

KAPITEL 10:

Die Nutzung von Verführungsprinzipien, um sein Leben zu meistern

Jetzt haben Sie ein gutes Verständnis für das Thema Verführung und wie Sie damit geschäftliche und romantische Partner finden können. Sie können Verführungstechniken aber auch dazu verwenden, um einen Weg durch das Leben zu finden. Sie müssen dabei nicht manipulativ oder betrügerisch vorgehen, können sich jedoch Verführungstechniken zunutze machen. Sie können sich Verführungstechniken als Kommunikation, Führung oder Nutzung Ihres Wissens in Bezug auf die menschliche Natur vorstellen.

Die Kunst der Verführung

Eine andere Art und Weise, wie Sie die Verführung betrachten können, besteht darin, dass sie auf Überraschung basiert. Die Neuheit, nach der sich unser Gehirn sehnt, wird von einer Person gestillt, die uns immer wieder überrascht. So behalten Sie einen romantischen Partner fürs Leben: Sie überraschen ihn immer wieder. Wenn wir Menschen uns langweilen oder wenn wir das Gefühl haben, im Alltagstrott festzustecken, dann wird wahrscheinlich der hässliche Gedanke an einen Seitensprung in unseren Köpfen auftauchen. Doch was ist, wenn Ihr Partner nicht weiß, was als Nächstes passieren wird? Dann wird er bei Ihnen bleiben, um dies herauszufinden.

Sie können das Überraschungselement zwar nicht immer verwenden, aber oft genug, um ein wenig Schwung in die ganze Sache zu bringen. Diese Methode funktioniert auch sehr gut, wenn Sie anfangen, Ihre Zielperson anzulocken. Ihre Zielperson wird die

Tatsache lieben, dass Sie spontan und unberechenbar sind. Langweilig ist weder attraktiv noch verlockend oder anziehend. Je mehr Sie die Dinge aufpeppen und verändern, desto mehr wird Ihre Zielperson an Sie denken. Auch die Fähigkeit, in den Kopf eines anderen Menschen zu gelangen, ist hierbei wichtig. Wir haben diese Fähigkeit verloren, da wir immer mehr Zeit vor Bildschirmen verbringen und passiv die Unterhaltung konsumieren, die uns der Algorithmus eines Unternehmens bietet. Um jemanden zu verführen, müssen Sie ihn genau beobachten. Nehmen Sie die Details wahr, die Ihr Gegenüber verrät. Finden Sie die Schwachstellen Ihrer Zielperson.

Ganz egal, ob Sie einen Kunden oder einen Liebhaber suchen, Sie werden die besten Erfolge erzielen, wenn Sie dazu in der Lage sind, die emotionalen Bedürfnisse Ihrer Mitmenschen herauszufinden. Denken Sie daran, dass es beim Thema Verführung um Emotionen geht und dass es egal ist, ob Sie einen Staubsauger verkaufen oder sich selbst als Sexualpartner. Welche Bedürfnisse hat Ihre Zielperson, die nicht erfüllt werden? Sie müssen darauf achten, was sie sagt (und was sie nicht sagt) und ihr Fragen stellen. Sehen Sie, wie sie auf verschiedene Geschichten reagiert. Ihr Telefon wird Ihnen das nicht sagen, ebenso wenig wie ein Videospiel, Ihr Social-Media-Feed oder ein Laptop-Bildschirm. Die einzige Person, die Ihnen von den Bedürfnissen Ihrer Zielperson erzählen kann, ist die Zielperson selbst. Es kann sein, dass die Zielperson bereitwillig alles sofort erzählt oder dass Sie sie ein wenig bearbeiten und die Informationen aus ihr herauskitzeln müssen.

Die Macht in der Verführung

In unserer zivilisierten Gesellschaft demonstrieren (oder übernehmen) wir die Macht normalerweise nicht mithilfe von physischer Gewalt. Wir müssen dies indirekt tun, was oft mit Täuschungsmanövern verbunden ist. Viele Leute sind ziemlich leichtgläubig, wenn es um den äußeren Schein geht. Aus diesem

Grund funktioniert die Methode so gut, wenn Sie Selbstbewusstsein ausstrahlen. Sie scheinen selbstbewusst zu sein und deshalb glauben andere Leute daran, dass Sie es sind.

Die Verführung beherrschen

Um eine Sache zu meistern, gibt es einige wichtige Anforderungen. Eine davon ist, dass Sie diese bestimmte Sache konsequent üben. Sie arbeiten stets daran und versuchen jedes Mal, sich zu verbessern. Die zweite Voraussetzung ist, dass Sie diese bestimmte Sache lieben. Es ist nicht möglich, an einer Sache konsequent und hart zu arbeiten, wenn Sie sie nicht lieben. Sie müssen viele Wiederholungen machen und insbesondere die Grundlagen immer und immer wieder üben. Sie müssen alle Regeln und Prozesse lernen. Normalerweise beginnen Sie im Erdgeschoss und arbeiten sich dann nach oben. Nichts davon ist nachhaltig, wenn Sie diese Sache nicht lieben. Möglicherweise haben Sie bereits eine ziemlich gute Vorstellung davon, was Sie lieben. Doch was ist, wenn Sie es nicht tun? In diesem Fall müssen Sie viele Dinge ausprobieren, um etwas zu finden. Lassen Sie sich nicht entmutigen, wenn dies nicht sofort passiert. Möglicherweise müssen Sie Ihre Suchparameter erweitern, wenn Sie weiterhin Dinge ohne Ergebnisse ausprobieren.

Sobald Sie eine Sache gefunden haben, müssen Sie sicherstellen, dass Sie die entsprechenden Fähigkeiten erlernen und erwerben. Vor vielen Jahrhunderten haben sich die Menschen in Europa bei einem Meister ausbilden und sich von diesem Meister die Grundlagen beibringen lassen (und auch heute noch wird dies in einigen europäischen Ländern so gemacht). Heutzutage könnte die Ausbildung in Form eines Jobs erfolgen. Wenn Sie versuchen, eine Sache zu meistern, sollten Sie möglicherweise nicht den Job mit dem höchsten Gehalt annehmen, der Ihnen angeboten wird. Die Lehrlingsausbildung ist normalerweise ziemlich gering bezahlt, zumindest zu Beginn. Sie sollten den Job finden, bei dem Sie am meisten lernen. Früher wurden die Menschen auch noch nicht so sehr vom Internet abgelenkt wie heute. Sie werden nie etwas beherrschen, wenn Sie Ihre Zeit im Internet verbringen. Genauso wie Sie Ihr Telefon beiseitelegen müssen, um sich auf Ihre Zielperson zu konzentrieren, so müssen Sie Ihr Telefon weglegen, wenn Sie versuchen, eine Fertigkeit zu erlernen. Sie müssen diese Fertigkeit selbst üben und keine endlosen Videos darüber ansehen.

Etwas zu lernen bedeutet auch, Ablenkungen zu vermeiden oder auszuschalten. Sobald Sie die Grundlagen verstanden oder Ihre Ausbildung abgeschlossen haben, müssen Sie Ihre Fähigkeiten testen und damit herumexperimentieren. Welche Techniken funktionieren für Sie und welche nicht? Können Sie eine andere Lebenserfahrung einbringen, um das Problem besser zu beleuchten? Mit anderen Worten: Sie müssen sich selbst herausfordern, um sich eine bestimmte Fertigkeit zu bewahren. Wenn Sie es sich erlauben, nicht mehr weiter zu lernen und zu stagnieren, dann verlieren Sie den Biss. Lernen Sie die Regeln, damit Sie sie brechen und herausfinden können, welche Regeln gebrochen werden können.

Die Vorteile der Verführung

Ein wesentlicher Vorteil des Erlernens von Verführungstaktiken besteht darin, dass diejenigen, die dies tun, gleichzeitig auch lernen können, sich vom Ergebnis zu lösen. Die Methode funktioniert nicht jedes Mal. Außerdem wirken Sie oftmals verzweifelt, wenn Sie so sehr an den Ergebnissen hängen. Doch wenn Sie das Ergebnis loslassen und sich auf den Prozess konzentrieren können, dann werden Sie ruhig und cool wirken, ohne darüber nachdenken zu müssen. Wenn Sie nicht das gewünschte Ergebnis erzielen, dann versuchen Sie es zu einem anderen Zeitpunkt erneut. Sie haben gelernt, mit Ablehnungen umzugehen. Manche Leute verstehen dies jedoch nie und sind jedes Mal aufs Neue niedergeschlagen. Doch Sie wissen, dass das passiert und Sie wissen auch, dass Sie sich sofort wieder aufrappeln können. Sie verbringen nicht viel Zeit damit, Ihre Niederlagen zu verdauen, weil Sie wissen, dass Sie eben manchmal abgelehnt werden. Ist keine große

Sache. Gehen Sie einfach zur nächsten Zielperson über und nehmen Sie es nicht persönlich. Wenn Sie wissen, dass dies nur ein Teil des Spieles ist, dann ist ein Korb leichter hinzunehmen.

Die meisten Menschen, die die Kunst der Verführung gemeistert haben, haben auch weniger Bedauern, weil sie es zumindest versucht haben. Sie unterwerfen sich nicht der Denkweise, wie etwa „Wenn doch nur“ oder „Ich wünschte, ich hätte mich dieser Person genähert“, weil sie es zumindest probiert haben.

„Sie verfehlen 100 % der Schüsse, die Sie nicht machen.“ - Wayne Gretzky

Jüngste Untersuchungen haben gezeigt, dass Menschen, die im Sterben liegen, nicht bereuen, was sie tatsächlich getan haben. Sie bereuen das, was sie nicht getan haben: nämlich mehr Zeit mit anderen Menschen verbracht zu haben. Wenn Sie regelmäßig mit anderen Leuten sprechen, werden Sie dies später nicht bereuen. Werden Sie schlechte Tage haben? Ja. Wird es Tage voller Ablehnung geben? Ja. Das heißt jedoch nicht, dass Sie insgesamt schlechter abschneiden, als wenn Sie sich nie nach draußen gewagt hätten. Sie haben gelernt, wie wichtig eine positive Einstellung ist. Wenn die negativen Gedanken kommen, dann schütteln Sie sie einfach ab. Andernfalls verbringen Sie zu viel Zeit mit Ihren Gedanken, anstatt sich anderen Menschen zu nähern und sich ihnen zu öffnen.

Wenn Sie eine Person kennenlernen, die Sie verführen möchten oder wenn Sie wollen, dass sich diese Person aus irgendeinem Grund wichtig fühlt, dann wissen Sie, wie man aktiv zuhört. Mittlerweile achten Sie auf Details und versuchen, zu verstehen, was im Kopf der anderen Person vor sich geht. Sie hören nicht nur zu, um herauszufinden, wann die Person aufhört zu sprechen, damit Sie Ihre Meinung kundtun können. Wenn Sie sich an einem Gespräch beteiligen, kann dies zu unerwarteten Ergebnissen führen. Es gibt einige Tage, an denen Sie einfach nicht ausgehen möchten. Vielleicht hat eine Ablehnung wirklich weh getan oder Sie sind müde oder was auch immer. Sie wissen jedoch auch, dass Sie sich nach draußen wagen und konsequent üben müssen, damit Sie auch dann ausgehen, wenn Sie keine Lust dazu haben. Wenn Sie auftauchen, dann ist das die halbe Miete. Sie haben sich jetzt darauf vorbereitet, sich nach draußen zu wagen, egal ob Sie wollen oder nicht. Sie können sagen, dass Sie aufgrund dieser Methode diszipliniert und konsequent sind. Anstatt sich selbst zu bemitleiden, rappeln Sie sich auf und gehen aus. Es ist schwer, depressiv und traurig zu sein, wenn Sie viel Spaß haben!

Holen Sie sich mit diesen Schlüsselprinzipien der Verführung, was Sie im Leben wollen

Sie bezeichnen sich selbst vielleicht nicht als Aufreiß-Künstler, doch Sie kennen jetzt einige wichtige Verführungstechniken und können diese anwenden. Verführung ist jedoch kein Hobby. Es geht nicht nur darum zu lernen, wie man Sex mit einer Person hat, mit der man wirklich Sex haben möchte oder wie man den Job bekommt, den man möchte. Es handelt sich um eine grundlegende Lebenskompetenz, die Sie in Ihrem Werkzeugkasten haben müssen. Die Kunst der Verführung hilft Ihnen dabei, glücklich zu werden, weil Sie in die Welt hinausgehen und Ihre Lebenspartner, Freunde und andere Mitmenschen auswählen können, die Sie unterstützen. Die Auswahl zu haben, mit wem Sie Zeit verbringen, bedeutet, dass Sie sich nicht mit jemandem zufriedengeben, der gerade in Ihrer Nähe ist, sondern mit jemandem, der wirklich zu Ihnen passt. Lassen Sie sich nicht von Zweifeln und selbstlimitierenden Überzeugungen davon abhalten, das zu bekommen, was Sie wollen oder diese Prinzipien und Techniken in die tägliche Praxis Ihres Lebens umzusetzen. Soziale Verführungsfähigkeiten werden erlernt, genauso wie andere Fähigkeiten. Und genau wie bei anderen Fähigkeiten verbessern Sie sich umso mehr, je mehr Sie üben.

Der Schlüssel ist, dass Sie viel eher das bekommen, was Sie wollen, wenn andere Menschen Sie mögen. Sympathisch zu sein ist entscheidend, sonst wird Ihnen das Leben äußerst schwerfallen. Glücklicherweise können Sie die Prinzipien der Verführung anwenden, um die Leute dazu zu bringen, Sie zu mögen, auch wenn Sie sie nicht unbedingt in Ihr Bett locken oder ihnen etwas verkaufen möchten. Etwas so Simples, wie ein Besuch in einem Restaurant, kann schöner sein, wenn die Kellner Sie mögen. Es geht darum, das unerfüllte Bedürfnis im Leben einer anderen Person zu finden und dieses Bedürfnis auf eine Art und Weise zu befriedigen, die sie noch nie zuvor erlebt hat. Sind Sie unglücklich, weil Sie das Gefühl haben, dass die Welt Ihnen nicht das schenkt, was Sie wollen? Vielleicht eine Gehaltserhöhung, ein Date, Liebe, Gesellschaft? Wie es sich herausstellt, müssen Sie der Welt etwas schenken, bevor sie Ihnen etwas schenkt.

„Das Leben ist eine Verführung." - Raj Persaud

Informieren Sie sich über die Bedürfnisse anderer Menschen, insbesondere über deren wichtigste Bedürfnisse, anstatt sich auf Ihre eigenen unerfüllten Bedürfnisse zu konzentrieren. Verwenden Sie Smalltalk auf eine bestimmte Art und Weise, um herauszufinden, was die andere Person antreibt und was sie braucht. Sobald Sie der Welt in Form der Erfüllung der Bedürfnisse einer Person etwas geschenkt haben, dann werden Sie feststellen, dass die Welt Ihnen etwas zurückgibt - den Partner, den Sie wollen, die Freunde, die Sie wollen. Es ist auch wichtig, sich daran zu erinnern, dass es nicht nur eine einzige Möglichkeit gibt, um verführerisch zu sein. Was auch immer Ihre natürlichen Stärken sein mögen - Witz, Humor, Intelligenz -, nutzen Sie sie, um andere Menschen zu bezaubern und um das zu bekommen, was Sie wollen. Es geht nicht unbedingt darum, wunderschön zu sein. Natürlich funktioniert das auch, doch Sie müssen nicht umwerfend aussehen, um andere Leute zu verführen. Haben Sie jemals eine Person gesehen, die zahlreiche Verehrer zu haben scheint, jedoch nicht unbedingt gut aussieht? Solche Menschen haben die Fähigkeit der Verführung erlernt, weswegen sie nicht gut aussehen müssen. Ein interessantes Experiment zeigt, wie Verführung funktioniert. Verschiedene Gruppen von Studenten wurden zu Datings geschickt. Einer Gruppe wurde gesagt, sie solle mit allem, was ihr Date sagte, einverstanden sein. Die andere Gruppe sollte mit keiner einzigen Sache einverstanden sein. Die dritte Gruppe wurde angewiesen, in der ersten Hälfte des Dates mit keiner einzigen Sache einverstanden zu sein und dann in der zweiten Hälfte mit allem einverstanden zu sein. Anschließend bewerteten die Dates, wie attraktiv sie die Studenten fanden.

Wie zu erwarten war, wurde die erste Gruppe als mäßig attraktiv und die zweite Gruppe als völlig unattraktiv eingestuft. Doch die dritte Gruppe wurde als am attraktivsten befunden. Wenn Sie die vorherigen Teile dieses Buches gelesen haben, wird Sie dies möglicherweise überhaupt nicht überraschen. Die Dates sagten aus, dass die Studenten der dritten Gruppe etwas Zeit brauchten, um sich in der Situation wohlzufühlen und dass sie es waren, die das Eis gebrochen hatten. Mit anderen Worten: Die Dates waren der Meinung, dass sie die Gruppe der Studenten verführt hatten. Casanova lernte (angeblich) eine attraktive Schauspielerin in einer Bar kennen, die lispelte und den Buchstaben „R" nicht richtig aussprechen konnte. Bot er ihr an, sie zum Sprachunterricht zu schicken? Sagte er ihr, sie solle sich mit jemandem treffen, den er kennt, der Erfahrung mit diesem Problem hat und ihr dabei helfen kann? Nein. Er ging nach Hause und schrieb ein Stück, das keine Wörter mit „R" enthielt. Als er fertig war, kehrte er in die Bar zurück und präsentierte es ihr. Verführung abgeschlossen! Dies war wahrscheinlich das erste Mal, dass jemand ein Stück für sie geschrieben hatte, geschweige denn eines, das auf das Problem zugeschnitten war, das sie hatte. Er sagte ihr nicht, dass sie an sich arbeiten musste oder dass er an ihr interessiert war. Sie musste zuerst ihr Problem beheben. Also schrieb er das Stück.

Wie oft signalisieren wir versehentlich, dass mit unserem Gegenüber etwas nicht stimmt und dass es repariert werden muss? Wir würden wahrscheinlich denken, dass wir der Schauspielerin helfen würden, wenn wir ihr Sprachunterricht anböten. Doch das Stück war sexy. Die Botschaft lautete: „Ändere nichts an dir! Du bist perfekt so wie du bist!" Und das ist unglaublich sexy. Und natürlich ließ sie sich davon verführen. Sie brauchte nicht wirklich Sprachunterricht. Sie brauchte ein Stück, bei dem ihre Sprachbehinderung keine Rolle spielte. Das ist das Bedürfnis, das Casanova auf eine Weise erfüllte wie noch niemand zuvor.

Sie können sich Beziehungen als drei Phasen vorstellen: Anziehung, Interesse und Pflege. In einer langfristigen Beziehung wiederholen Sie diesen Zyklus viele Male, da das Interesse Ihres Partners sonst abnehmen kann oder er sich langweilt. Dies gilt auch für romantische oder sexuelle Beziehungen. Und es gilt auch für zahlreiche andere Beziehungen, die Sie in Ihrem Leben führen - mit Kunden, mit Freunden und vielen anderen. Nehmen Sie sich diese Prinzipien und psychologischen Techniken zu Herzen und nutzen Sie sie, um Ihr Leben zu verbessern. Handelt es sich um ein Spiel? Vielleicht. Andere Menschen spielen es auf jeden Fall, also werden Sie es schwer haben, wenn Sie sich weigern. Verschenken Sie etwas, bevor Sie erwarten, ein Geschenk zu erhalten - so funktioniert es am besten, damit Sie letztlich Ihre Ziele erreichen und das bekommen, was Sie sich im Leben wünschen.

Zusammenfassung des Kapitels

- Verführung ist eine fast verloren gegangene Kunst, weil nicht genug Menschen auf ihre Mitmenschen achten und von ihren eigenen Bedürfnissen und elektronischen Geräten abgelenkt werden.
- Sie müssen in der Lage dazu sein, andere Menschen zu verführen, um das zu bekommen, was Sie wollen. Dies gilt auch für das Thema Macht.
- Die Beherrschung der Kunst der Verführung erfordert Zeit und ein beharrliches Üben, allerdings ergeben sich auch zusätzliche Vorteile.
- Verführung ist eine Lebenskompetenz, die man lernen muss, sie ist nicht nur ein Hobby bzw. eine Möglichkeit, um mehr Sex zu haben.

SCHLUSSWORT

Verführung ist sowohl eine Kunst als auch eine Wissenschaft. Die Verführung baut auf dem grundlegenden Wissen auf, das wir über die Funktionsweise des menschlichen Gehirnes haben, einschließlich der Unterschiede zwischen dem männlichen und dem weiblichen Gehirn. Dies ist wichtig, wenn wir über sexuelle Verführung sprechen. Doch Verführung ist auch die Kunst, wie Sie verbale und nonverbale Kommunikation verwenden, um Ihre Zielpersonen anzuziehen und anzulocken. Obwohl Aufreiß-Künstler in den letzten Jahren Bekanntheit dafür erlangten, Männern beizubringen, wie man Frauen aufreißt, so gibt es in Wirklichkeit schon lange Verführungsgemeinschaften. Einige Männer, jedoch nicht alle, haben das Glück, von jemandem betreut zu werden, der weiß, wie man das Spiel spielt.

Die meisten Menschen glauben, dass Meister der Verführung eine oder mehrere stark ausgeprägte Charaktereigenschaften der sogenannten Dunklen Triade besitzen: Narzissmus, Machiavellismus und Psychopathie. Wissenschaftliche Untersuchungen zeigen, dass Menschen, bei denen diese Charaktereigenschaften moderat ausgeprägt sind, im Geschäftsleben und in anderen Lebensbereichen tatsächlich sehr erfolgreich sein können. Es gibt viele Diskussionen darüber, ob Verführung moralisch ist. Für diejenigen, die Verführung als ein Spiel für Männer betrachten, um Sex mit Frauen zu haben und sie danach fallen zu lassen, sieht dies zumindest unmoralisch oder unethisch aus. Doch populäre Stereotypen erzählen nicht die ganze Geschichte. Ein Verführer lernt seine Zielperson kennen, damit er ihr unerfülltes Bedürfnis erkennen kann. Dies kann bedeuten, dass ihre Zielperson mit Aufmerksamkeit überschüttet wird, die sie möglicherweise nicht ausreichend in ihrem Leben bekommt. Eine Schlüsseltechnik bei der Verführung ist es, in den Kopf einer anderen Person zu gelangen und die Welt so zu sehen, wie sie es tut - also sich quasi in ihre Situation hineinzuversetzen. Der Verführer geht so vor mit dem ultimativen Ziel, das zu bekommen, was er will. Doch das ist nicht mit Narzissmus gleichzusetzen. Zu lernen, was eine andere Person toll findet und sie mit kleinen Geschenken (nicht unbedingt Geld) zu überraschen, kommt auch der anderen Person zugute.

Diejenigen, die Verführung immer noch für unmoralisch halten, sollten bedenken, dass es sich hierbei um eine wichtige Fähigkeit handelt, die jeder erlernen kann. Um von der Welt das geschenkt zu bekommen, was Sie wollen, müssen Sie zuerst einmal etwas von sich geben. Finden Sie die unerfüllten Bedürfnisse Ihrer Zielperson heraus und erfüllen Sie sie auf eine Weise, die Ihre Zielperson noch nie zuvor erlebt hat. Sie müssen auch sympathisch sein, um die richtigen Leute für sich zu gewinnen. Sie können lernen, andere Menschen dazu zu verführen, Sie zu mögen.

Wenn Sie wissen, was Sie von der Welt wollen, können Sie Ihre Partner dementsprechend auswählen: Liebespartner, Geschäftspartner oder auch Freunde, die das Beste aus Ihnen herausholen und Sie unterstützen. Wenn Sie die Fertigkeiten der Verführung nicht erlernen, werden Sie vielleicht am Ende Ihr Leben mit einer Person teilen, die nicht zu Ihnen passt. Es geht nicht um ein Hobby, es geht ums Überleben. Um das Leben zu führen, das Sie führen möchten, müssen Sie andere Menschen auf die eine oder andere Weise verführen. Verführung unterscheidet sich von Manipulation, bei der Ihre Absichten vor der Zielperson verborgen werden. Zum Beispiel manipulieren Männer Frauen manchmal, um sie ins Bett zu bekommen, indem sie ihnen vortäuschen, dass sie an einer romantischen Beziehung interessiert sind, obwohl sie in Wirklichkeit nur Sex wollen. Beide Geschlechter können verführen. Die Kunst der Verführung ist nicht nur auf ein Geschlecht beschränkt.

Einige Verführungstechniken unterscheiden sich je nachdem, ob Sie einen Mann oder eine Frau verführen. Männer legen mehr Wert auf das Visuelle und können dazu verleitet werden, sich von einer Frau angezogen zu fühlen, wenn sie seinen Heldeninstinkt auslöst. Frauen reagieren oft gut auf detailreiche Fantasien sowie auf witzige Wortspiele.

Es gibt viele Verführer-Archetypen - den Lebemann, die Sirene, die Kokette. Es gibt jedoch auch viele Opfer da draußen! Opfer sind manchmal solche Menschen, die ein unerfülltes Bedürfnis haben, deren Realität so langweilig ist, dass jede Person, die auch nur ein wenig interessant ist, wie ein Hauch frischer Luft für sie ist. Jeder Mensch, der das Gefühl hat, in irgendeiner Weise im Alltagstrott festzustecken, ist ein Ziel für einen Verführer. Viele Verführungstechniken sind universell und nicht auf ein Geschlecht oder eine Art von Zielperson beschränkt. Diese Verführungstechniken sollten nicht nur dazu verwendet werden, einen Liebhaber zu gewinnen, sondern können auch im Geschäfts- und Arbeitsleben angewandt werden. Wir Menschen lieben neue Dinge. Deswegen generieren Überraschungen normalerweise die Aufmerksamkeit, die Sie möchten. Wir Menschen haben unerfüllte Bedürfnisse und eine Person, die verspricht, diese Bedürfnisse zu erfüllen, kommt sehr gut an. Die meisten Menschen wollen gesteuert werden. Aus diesem Grund ist es für den Verführer von entscheidender Bedeutung, selbstbewusst und selbstsicher zu sein und sich nicht durch Tests oder Meinungsverschiedenheiten aus der Bahn werfen zu lassen.

Wir Menschen neigen dazu, kleine Herausforderungen zu mögen. Wir wollen nicht unbedingt, dass uns alles auf einem Silbertablett serviert wird. Eine sehr effektive Technik, egal ob Sie eine sexuelle Zielperson oder einen potenziellen Kunden verführen, besteht darin, Ihre Zielperson dazu zu bringen, zu Ihnen zu kommen. Natürlich muss die Zielperson sich von Ihnen angezogen fühlen bzw. der Kunde muss an Ihrem Produkt interessiert sein, damit dieser Trick funktioniert. Dennoch sollten Sie ihr bzw. ihm nicht hinterherlaufen. Verzweifelt zu wirken ist ein Abtörner, also machen Sie sich ein wenig rar. Sie wissen, wie großartig Sie sind (oder zumindest tun Sie so), also wird Ihre Zielperson bzw. Ihr potenzieller Kunde irgendwann zu Ihnen kommen. Verführung ist nicht logisch und hat möglicherweise auch nichts damit zu tun, wie attraktiv Sie körperlich sind. Die meisten Menschen haben eine Stärke, mit der sie andere bezaubern können. Einige Menschen sind attraktiv und gutaussehend, andere sind witzig und humorvoll. Wenn Sie jemals eine Person, die konventionell nicht attraktiv ist, mit jeder Menge Verehrern gesehen haben, dann benutzt diese Person eine andere Art von Stärke, die für sie selbstverständlich ist.

Sie müssen sich nicht nach oben schlafen, Sie können sich aber auf jeden Fall nach oben verführen! Wenn Sie im Verkauf arbeiten, dann möchten Sie, dass Ihr Interessent hungrig nach Ihrem Produkt ist. Wenn er glaubt, dass er Ihr Produkt braucht und dass es die Antwort auf all seine Probleme ist, dann müssen Sie keine Verkaufsanstrengungen mehr unternehmen. Wecken Sie dieses Bedürfnis, zeigen Sie dem Kunden, dass Sie derjenige sind, der dieses Bedürfnis erfüllen kann und schon wird er zu Ihnen kommen anstatt umgekehrt.

Verführung ist ein Prozess: Anziehung - Komfort - Verführung. Jeder Versuch, diese Phasen nicht in der richtigen Reihenfolge umzusetzen, ist zum Scheitern verurteilt. Sie werden Kunden nicht dazu bringen, mit Ihnen zu arbeiten (oder Frauen, mit Ihnen zu schlafen), wenn Sie sie nicht zuerst anziehen. Sie können sie erst dann verführen, wenn sich Ihre Zielpersonen wohl bei Ihnen fühlen. Am Ende arbeiten Sie weniger, weil Sie weniger Anrufe tätigen müssen und es Ihren potenziellen Kunden ermöglichen, sich selbst zu qualifizieren. Es gibt eine Reihe von Möglichkeiten, um dies zu tun, doch es ist wichtig, dass die Phasen im Geschäfts- und Privatleben eingehalten werden. Wenn Sie versuchen, etwas zu verkaufen, bevor Sie Ihr Gegenüber richtig kennengelernt haben, dann wird dies nicht funktionieren und nur zu Frustration führen. Sie müssen zuerst einige Zeit mit Ihrem Gegenüber verbringen, bevor Sie versuchen, den Deal abzuschließen. Zeit ist ein wichtiger Bestandteil der Verführung. Folgen Sie nicht nur dem Prozess, sondern erkennen Sie auch, dass es einige Zeit dauern wird, bis Sie diese Fähigkeiten beherrschen. Sie müssen diese Fähigkeit konsequent üben, um ein Meister darin zu werden. Wenn Sie daran arbeiten, Frauen zu verführen, müssen Sie jeden Tag mit einer Frau sprechen oder jeden Tag an Ihrer Methode arbeiten. Wenn Sie daran arbeiten, eine Person im Geschäftsumfeld zu verführen, dann müssen Sie regelmäßig Kontakt aufnehmen, damit Sie deren Bedarf herausfinden und nach Abschluss des Deals weiterhin Kontakt halten.

Ich habe versprochen, Ihnen alles beizubringen, was Sie über Verführung wissen müssen - was Verführung ist, wie sie früher verwendet wurde und wie die Leute sie aktuell einsetzen. Ich habe Ihnen auch Techniken beigebracht, die Sie lernen und im wirklichen Leben anwenden können, um das zu bekommen, was Sie wollen, denn genau darum geht es bei der Verführung. Wenn Sie aus diesem Buch nur eine Sache lernen, dann sollte es folgende sein: Verführung ist eine notwendige Fähigkeit, die Sie lernen können, wenn Sie konsequent üben. Einigen Menschen wurde diese Fertigkeit in die Wiege gelegt und sie wissen, wie man andere Menschen anlockt und verführt, doch anderen Menschen eben nicht. Zum Glück können Sie diese Fähigkeit erlernen. Wenn Sie regelmäßig daran arbeiten, werden Sie sich verbessern. Es spielt keine Rolle, wie Sie aussehen oder wie viel Geld Sie haben, solange Sie diese Methoden der Verführung lernen und anwenden.

VERWEISE

About-Secrets. (30. Juni 2013). Seduction marketing. Abgerufen am 19. Februar 2020 von https://www.slideshare.net/mfr786/seduction-marketing

Acton, F. (6. Januar 2020). Fractionation Texting. Abgerufen am 17. Februar 2020 von https://fractionation.net/fractionation-texting/

A-hole Game: Day 1. (12. Januar 2009). Abgerufen am 16. Februar 2020 von https://web.archive.org/web/20140711073602/http:/heartiste.wordpress.com/2009/01/12/a-hole-game-day-1/

Amante, C. (o. D. - a). How to Use Social Proof to Get Girls | Girls Chase. Abgerufen am 17. Februar 2020 von https://www.girlschase.com/content/how-use-social-proof-get-girls

Amante, C. (o. D. - b). Tactics Tuesdays: Deconstructing the PUA Neg | Girls Chase. Abgerufen am 17. Februar 2020 von https://www.girlschase.com/content/tactics-tuesdays-deconstructing-pua-neg

Anonymous. (27. Juni 2004). Some of my best friends are women. Abgerufen am 18. Februar 2020 von https://www.theguardian.com/world/2004/jun/27/gender.menshealth3

Avery. (7. September 2018). Kino Escalation: How To Attract Women With Physical Touch -. Abgerufen am 17. Februar 2020 von https://redpilltheory.com/2018/09/06/kino-escalation-how-to-attract-women-with-physical-touch/

Barbe, O. (5. November 2004). Sex on the Brain. Abgerufen am 18. Februar 2020 von https://www.menshealth.com/sex-women/a19516672/understanding-sex-and-the-brain/

Barking Up the Wrong Tree. (o. D.). Seduction, Power and Mastery: 3 Lessons From History's Greatest Minds. Abgerufen am 20. Februar 2020 von https://www.bakadesuyo.com/2014/02/seduction-power-mastery/

BBC. (o. D.). Unpacking the Psychology of Seduction. Abgerufen am 20. Februar 2020 von https://www.bbc.com/reel/video/p07l3r3q/unpacking-the-psychology-of-seduction

Bergreen, L. (26. Juli 2017). 10 Seduction Tips and Tricks von Casanova Himself. Abgerufen am 16. Februar 2020 von https://www.tipsonlifeandlove.com/love-and-relationships/10-seduction-tips-and-tricks-von-casanova

Best PUA Training. (3. Mai 2018). Kino Escalation - Early, Mid Set Kino and Kiss Closing. Abgerufen am 17. Februar 2020 von http://www.bestpuatraining.com/kino-escalation

Bey, B. A. (29. Oktober 2018). Here's Why Pitching is a Lot Like Seduction. Abgerufen am 19. Februar 2020 von https://www.mediabistro.com/climb-the-ladder/skills-expertise/heres-why-pitching-is-a-lot-like-seduction/

BigEyeUg3. (6. Juni 2017). 4 Signs you are too easily seduced. Abgerufen am 10. Februar 2020 von https://bigeye.ug/4-signs-you-are-too-easily-seduced/

Black Rose - Free Download PDF. (o. D.). Abgerufen am 17. Februar 2020 von https://kupdf.net/download/black-rose_58e52d47dc0d609438da97f1_pdf

Brandstory. (3. September 2016). The art of seduction – how to get customers to want you. Abgerufen am 19. Februar 2020 von http://www.brandstoryonline.com/seduction/

Britannica. (o. D.). Seduction. Abgerufen am 15. Februar 2020 von https://www.britannica.com/topic/seduction

Brizendine, L. (25. März 2010). Love, sex and the male brain - CNN.com. Abgerufen am 18. Februar 2020 von http://edition.cnn.com/2010/OPINION/03/23/brizendine.male.brain/index.html

Broucaret, F. (23. Dezember 2014). Seduction: 10 Gestures and What They Reveal. Abgerufen am 18. Februar 2020 von https://www.mariefranceasia.com/lifelove/decoding/les-10-gestes-seduction-du-desir-59008.html#item=1

Buffalmano, L. (2. November 2019). How to Mind Fuck a Guy: The Ultimate Guide (With Examples). Abgerufen am 18. Februar 2020 von https://thepowermoves.com/make-him-crazy-about-you/

Burras, J. (o. D.). Power: Domination or Seduction. Abgerufen am 18. Februar 2020 von http://www.jonburras.com/pdfs/Power-Domination-or-Seduction.pdf

Calo, C. (o. D.). Switching From Logical to Social: The Art of Seduction. Abgerufen am 7. Februar 2020 von https://www.waytoo-social.com/the-art-of-seduction-blog/

Carter, G. L., Campbell, A., & Muncer, S. (12. Juni 2013). The Dark Triad Personality: Attractiveness to Women. Abgerufen am 7. Februar 2020 von https://scottbarrykaufman.com/wp-content/uploads/2013/09/The-Dark-Triad-Personality.pdf

Chamorro-Premuzic, T. (4. November 2015). Why Bad Guys Win at Work. Abgerufen am 8. Februar 2020 von https://hbr.org/2015/11/why-bad-guys-win-at-work

Coast, M. (4. November 2019a). 3 Ways to Trigger The Hero Instinct in Your Man. Abgerufen am 18. Februar 2020 von https://commitmentconnection.com/3-ways-to-trigger-the-hero-instinct-in-your-man/

Coast, M. (4. November 2019b). The Secret to Understanding What Triggers Emotional Attraction in Men. Abgerufen am 18. Februar 2020 von https://commitmentconnection.com/the-secret-to-understanding-what-triggers-attraction-in-men/

Cool Communicator. (12. November 2019). Social Seduction, Creating Space and Anticipation. Abgerufen am 7. Februar 2020 von https://coolcommunicator.com/social-seduction-creating-space-anticipation/

Cowie, A. (22. Mai 2017). The Enchanted Sex-Word of Scotland's Secret Seduction Society. Abgerufen am 8. Februar 2020 von https://www.ancient-origins.net/history/enchanted-sex-word-scotland-s-secret-seduction-society-008114

Cross, E. (15. Januar 2020). Obsession Phrases Review: What Makes Him Truly Obsessed With You? Abgerufen am 18. Februar 2020 von https://www.lovemakingexperts.com/obsession-phrases-review/

Definitions.net. (o. D.). What Does Seduction Mean? Abgerufen von https://www.definitions.net/definition/seduction

Dictionary.com. (o. D.). Seduce. Abgerufen von https://www.dictio-nary.com/browse/seduce

Drapkin, J. (1. Mai 2005). How to Seduce a Lover. Abgerufen am 18. Februar 2020 von https://www.psychologytoday.com/us/artic-les/200505/how-seduce-lover

Edwards, D. (o. D.). Seduction or abuse? Is seducing someone ethical or is it manipulation? Abgerufen am 15. Februar 2020 von https://steemit.com/ethics/@dana-edwards/seduction-or-abuse-is-seducing-someone-ethical-or-is-it-manipulation

Eliason, N. (o. D.). The Art of Seduction by Robert Greene: Summary, Notes, and Lessons. Abgerufen am 15. Februar 2020 von https://www.nateliason.com/notes/art-seduction-robert-greene

Emory University. (16. März 2004). Study Finds Male And Female Brains Respond Differently To Visual Stimuli. Abgerufen am 18. Februar 2020 von https://www.sciencedaily.com/relea-ses/2004/03/040316072953.htm

Essays Writers. (o. D.). Persuasion, Manipulation and Seduction. Abgerufen am 7. Februar 2020 von https://essayswriters.com/essays/Analy-sis/persuasion-manipulation-and-seduction.html

Farouk Radwan, M. (o. D.). Why women like men with dark triad traits | 2KnowMySelf. Abgerufen am 8. Februar 2020 von https://www.2knowmyself.com/Why_wo-men_like_men_with_dark_triad_traits

Farquhar, S. (3. September 2017). Shogun Method. Abgerufen am 17. Februar 2020 von https://seductionfaq.com/blog/shogun-method/

Female Psychology. (o. D.). Abgerufen am 17. Februar 2020 von http://www.the-alpha-lounge.com/female-psychology.html

Finkelstein, K. (o. D.). The Influence of the Dark Triad and Gender on Sexual Coercion Strategies of a Subclinical Sample. Abgerufen am 7. Februar 2020 von https://bir.brand-eis.edu/bitstream/handle/10192/28572/FinkelsteinThe-sis2014.pdf?sequence=1

Fisher, D. (o. D.). 7 Quick Tips to Help You Learn Seduction Faster | Girls Chase. Abgerufen am 16. Februar 2020 von https://www.girlschase.com/content/7-quick-tips-help-you-learn-seduction-faster

Francis, M. (3. Januar 2007). The psychology of seduction. Abgerufen am 18. Februar 2020 von https://www.dailymail.co.uk/femail/article-426320/The-psychology-seduction.html

Ganz, M. (31. Oktober 2013). Covert Seduction – How to Mess with Women's Minds. Abgerufen am 17. Februar 2020 von https://sibg.com/covert-seduction-mess-with-womens-minds/

Ganz, M. (4. August 2016). Black Rose Sequence – How You Can Seduce Women Using Mind Control Enslavement. Abgerufen am 17. Februar 2020 von https://sibg.com/black-rose-sequence-how-you-can-seduce-women-using-mind-control-enslavement/

Ganz, M. (4. Februar 2020). Fractionation Seduction Technique: All You Need To Know! Abgerufen am 17. Februar 2020 von https://sibg.com/using-fractionation-in-seduction/

Get the Guy. (21. Dezember 2010). The Player: Why Men Long To Be Casanovas And How To Spot If He Is One – Men's Personalities Part 3. Abgerufen am 16. Februar 2020 von https://www.howtogettheguy.com/blog/player-mens-personalities-part-3/

Greene, R. (o. D.). The Art of Seduction. Abgerufen am 8. Februar 2020 von http://radio.shabanali.com/the-art-of-seduction-robert-greene

Hardy, J. (30. Januar 2020). The History of the Seduction Community. Abgerufen am 8. Februar 2020 von https://historycooperative.org/the-history-of-the-seduction-community/

Her Way. (13. Februar 2020). The Best Thing That Is Going To Happen To You This Year Is You. Abgerufen am 18. Februar 2020 von https://herway.net/relationship/3-simple-ways-to-unlock-the-hero-instinct-in-your-man/

His Secret Passion. (30. März 2019). Best 8 His Secret Obsession Phrases That Make A Man Fall In Love. Abgerufen am 18. Februar 2020 von https://hissecretpassion.com/secret-obsession-phrases/

Honan, D. (30. Januar 2019). James Bond's guide to seduction. Abgerufen am 8. Februar 2020 von https://bigthink.com/think-tank/james-bonds-guide-to-seduction

Hyman, R. (o. D.). Cold Reading: How to Convince Strangers That You Know All About Them. Abgerufen am 17. Februar 2020 von https://web.archive.org/web/20140716020736/http://www.skepdic.com/Hyman_cold_reading.htm

kartjoe. (4. April 2017). A modern man living guide to seduction PDF EBook Download-FREE. Abgerufen am 7. Februar 2020 von https://www.slideshare.net/kartjoe/a-modern-man-living-guide-to-seduction-pdf-ebook-downloadfree

Kaufman, S. (10. Dezember 2015). The Myth of the Alpha Male. Abgerufen am 8. Februar 2020 von https://greatergood.berkeley.edu/article/item/the_myth_of_the_alpha_male

Kings of the Web. (6. Februar 2020). Cold Reading Is A Potent Seduction Tactic. Abgerufen am 17. Februar 2020 von https://heartiste.net/cold-reading-is-a-potent-seduction-tactic/

Kozmala, M. (2. Februar 2019). The Body language of seduction. Abgerufen am 18. Februar 2020 von https://businessandprestige.pl/the-body-language-of-seduction/

Lizra, C. (10. Dezember 2017). Seduction in Business. Abgerufen am 19. Februar 2020 von https://www.powerofsomaticintelligence.com/blog/seduction-in-business

LoDolce, A. (24. Oktober 2019). How to Seduce Men With Body Language: 12 Perfect Seduction Tips. Abgerufen am 18. Februar 2020 von https://sexyconfidence.com/how-to-seduce-men-with-body-language/

LoDolce, A. (14. September 2017). How To Scientifically Trigger His Emotional Desire for You using This Technique. Abgerufen am 18. Februar 2020 von https://www.huffpost.com/entry/how-to-scientifically-trigger-his-emotional-desire_b_59bab8b4e4b06b71800c3781

M., S. (4. Januar 2020). Shogun Method Review (Is Derek Rake The Real Deal?). Abgerufen am 17. Februar 2020 von https://www.calpont.com/shogun-method/

Madsen, P. (20212). The Power of Seduction. Abgerufen am 7. Februar 2020 von https://www.psychologytoday.com/us/blog/shameless-woman/201207/the-power-seduction

Magical Apparatus. (1. Dezember 2019). The phases of a seduction - Alpha Male. Abgerufen am 13. Februar 2020 von https://www.magicalapparatus.com/alpha-male/the-phases-of-a-seduction.html

Magical Apparatus. (26. Dezember 2019). Using Cold Reading - Seduction. Abgerufen am 17. Februar 2020 von https://www.magicalapparatus.com/seduction-2/chapter-ix-using-cold-reading.html

Mallens, T. (4. September 2015). 3 rules the art of seduction can teach you to boost your sales & marketing. Abgerufen am 19. Februar 2020 von https://www.linkedin.com/pulse/3-rules-art-seduction-can-teach-you-boost-your-sales-mallens-bsc-mba

Martin, C. (11. November 2010). Persuasion, Manipulation, Seduction, and Human Communication. Abgerufen am 7. Februar 2020 von http://opinionsandperspectives.blogspot.com/2010/11/persuasion-manipulation-seduction-and.html

Martin, T. (o. D.). Creating A More Effective B to B Sales Prospecting Program. Abgerufen am 19. Februar 2020 von https://conversedigital.com/social-selling-sales-training-posts/b-to-b-sales-prospecting

MensXP.com. (o. D.). MensXP.com - India's largest Online lifestyle magazine for Men. Offering tips & advice on relationships, fashion, office, health & grooming. Abgerufen am 17. Februar 2020 von https://www.mensxp.com/dating/seduction-science-/600-cold-reading-her-mind.html

Merriam-Webster. (o. D.). „Negging" Moves Beyond the Bar. Abgerufen am 16. Februar 2020 von https://www.merriam-webster.com/words-at-play/negging-pick-up-artist-meaning

Nguyen, V. (17. August 2013). 7 Life Lessons to Learn von Pickup Artists. Abgerufen am 20. Februar 2020 von https://www.selfstairway.com/pickup-artists/

Nicky Woolf. (o. D.). „Negging": the anatomy of a dating trend. Abgerufen am 17. Februar 2020 von https://www.newstatesman.com/blogs/voices/2012/05/negging-latest-dating-trend

Nixon, R. (23. März 2016). 10 Things Every Woman Should Know About a Man's Brain. Abgerufen am 18. Februar 2020 von https://www.livescience.com/14422-10-facts-male-brains.html

Oesch, N., & Miklousic, I. (2012). The Dating Mind: Evolutionary Psychology and the Emerging Science of Human Courtship. Evolutionary Psychology, 10(5), 147470491201000. Abgerufen von https://doi.org/10.1177/147470491201000511

Presaud, R., & Bruggen, P. (15. August 2015). The Sexy Sons Theory of What Women Are Attracted to in Men. Abgerufen am 15. Februar 2020 von https://www.psychologytoday.com/intl/blog/slightly-blighty/201508/the-sexy-sons-theory-what-women-are-attracted-in-men

Rake, D. (o. D.). How to Hook Up With Beautiful Women - Using „Player" Seduction Tactics. Abgerufen am 16. Februar 2020 von https://ezinearticles.com/?How-to-Hook-Up-With-Beautiful-Women---Using-Player-Seduction-Tactics&id=2481207

Rake, D. (17. Januar 2020). Shogun Method - A Critical (Self) Review. Abgerufen am 17. Februar 2020 von https://derekrake.com/blog/#Four-Steps-To-Eternal-Enslavement-8211-The-IRAE-Model

Rauthmann, J. (1. April 2014). Mate attraction in the Dark Triad: Narcissists are hot, Machiavellians and psychopaths not. Abgerufen am 8. Februar 2020 von https://www.sciencedirect.com/science/article/abs/pii/S0191886913006582

Razzputin. (o. D.). Knowing How to Use Kino Effectively on Women. Abgerufen am Winter 160, 2020, von https://www.waytoosocial.com/how-to-use-kino-effectively/

Riggio, R. (10. Februar 2016). 6 Seductive Body Language Channels. Abgerufen am 18. Februar 2020 von https://www.psychologytoday.com/intl/blog/cutting-edge-leadership/201602/6-seductive-body-language-channels

Roberts, M. (4. August 2016). Black Rose Sequence®. Abgerufen am 17. Februar 2020 von https://sonicseduction.net/black-rose-sequence/

Rogell, B. E. (26. August 2013). Seduction tactics to boost your career. Abgerufen am 19. Februar 2020 von https://www.news.com.au/finance/work/seduction-tactics-to-boost-your-career/news-story/6fce129b118a03dfde4b68c4169ababf

Rogell, E. (22. August 2013). Seduction Tactics For Your Career. Abgerufen am 19. Februar 2020, von https://sea.askmen.com/entertainment/216/topten/seduction-tactics-for-your-career

Rolstad, A. (o. D.). The „Hover and Disqualify" Pickup Technique | Girls Chase. Abgerufen am 17. Februar 2020 von https://www.girlschase.com/content/hover-and-disqualify-pickup-technique

S, P. (5. April 2017). Raj Persaud: The Psychology of Seduction at TEDX U. of Bristol (transcript). Abgerufen am 20. Februar 2020 von https://singjupost.com/raj-persaud-the-psychology-of-seduction-at-tedxuniversityofbristol-transcript/

Seltzer, L. (17. September 2013). The Paradox of Seduction. Abgerufen am 7. Februar 2020 von https://www.psychologytoday.com/us/blog/evolution-the-self/201309/the-paradox-seduction

Shogun Method Fractionation - Free Download PDF. (o. D.). Abgerufen am 17. Februar 2020 von https://kupdf.net/download/shogun-method-fractionation_5913cf2adc0d60bf4c959eb0_pdf

Sicinski, A. (8. Dezember 2018). Breaking Down the Intoxicating Art of Romantic Seduction. Abgerufen am 10. Februar 2020 von https://blog.iqmatrix.com/art-seduction

Simon, C. (16. Februar 2012). Don't be Seduced! 6 Crucial Warning Signs. Abgerufen am 10. Februar 2020 von https://www.psychologytoday.com/us/blog/bringing-sex-focus/201202/dont-be-seduced-six-crucial-warning-signs

Sinn, J. (o. D.). 3 Ways to Use Cold Reading to Attract Women. Abgerufen am 17. Februar 2020 von https://ezinearticles.com/?3-Ways-to-Use-Cold-Reading-to-Attract-Women&id=6169379

Skills Converged Ltd. (o. D.). Skills Converged > Body Language of Seduction. Abgerufen am 18. Februar 2020 von https://www.skillsconverged.com/FreeTrainingMaterials/BodyLanguage/BodyLanguageofSeduction.aspx

Snowden, J. (7. Februar 2020). Shogun Method: My Confession (A Review). Abgerufen am 17. Februar 2020 von https://sibg.com/shogun-method/

T, S. (5. November 2015a). The Three Types Of Game Pickup Artists Use To Attract Women: Part 2. Abgerufen am 13. Februar 2020 von http://seductioncommunity.com/attraction/the-three-types-of-game-pickup-artists-use-to-attract-women-part-2/

T, S. (5. November 2015b). The Three Types Of Game To Attract Women: Part 1. Abgerufen am 13. Februar 2020 von http://seductioncommunity.com/attraction/the-three-types-of-game-to-attract-women-part-1/

Tan, J. (10. Januar 2020). Customer Seduction: How to make customers LOVE your brand... Abgerufen am 19. Februar 2020 von https://www.referralcandy.com/blog/customer-seduction-make-customers-love-brand-infographic/

TED Talks: The power of Seduction in our Everyday Lives. (30. Juli 2013). Abgerufen am 19. Februar 2020 von https://www.payscale.com/career-news/2013/07/ted-talks-the-power-of-seduction-in-our-everyday-lives

The Doctor. (27. August 2019). The ethics of Seduction. Abgerufen am 15. Februar 2020 von https://thedoctorsdiary.com/women/ethics-of-seduction/

The Natural Lifestyles. (11. Februar 2015). Why Learning Seduction Is Not Optional. Abgerufen am 20. Februar 2020 von https://www.youtube.com/watch?v=onqLFdYY5Rw

Vandeweert, W. (22. Juli 2015). Use Cold Reading to Pick Up Girls. Abgerufen am 17. Februar 2020 von https://willemvandeweert.wixsite.com/cold-reading/single-post/2015/06/08/USE-COLD-READING-TO-PICK-UP-GIRLS

Van Edwards, V. (o. D.). The Alpha Female: 9 Ways You Can Tell Who Is an Alpha Woman. Abgerufen am 8. Februar 2020 von https://www.scienceofpeople.com/alpha-female/

Way, H. (13. Februar 2020). The Best Thing That Is Going To Happen To You This Year Is You. Abgerufen am 17. Februar 2020 von https://herway.net/love/8-ways-men-use-fractionation-seduction-make-fall-love/

Weiss, R. (20. Juni 2015). What Turns Guys On? Understanding Sexual Desire. Abgerufen am 18. Februar 2020 von https://www.psychologytoday.com/us/blog/love-and-sex-in-the-digital-age/201506/what-turns-guys-understanding-male-sexual-desire

Wendell, R. (o. D.). Cold Reading Your Way to Great Conversations | Girls Chase. Abgerufen am 17. Februar 2020 von https://www.girlschase.com/content/cold-reading-your-way-great-conversations

Williams, S. (14. März 2012). Are You Easily Seduced? Abgerufen am 10. Februar 2020 von https://www.yourtango.com/experts/shay-y-our-date-diva-williams/are-you-easy-be-seduced

Wilson, B. M. (23. Oktober 2011). The great seducers. Abgerufen am 8. Februar 2020 von https://www.independent.co.uk/life-style/love-sex/seduction/the-great-seducers-928178.html

Wilson, J. (o. D.). Social Psychology: The Seduction of Consumers. Abgerufen am 7. Februar 2020 von https://pdfs.semanticscholar.org/be16/b695b47eee8f82e5af8ac3da2589d76b2799.pdf

Woman Knows: 12 Tricks That Men Use to Seduce Women. (o. D.). Abgerufen am 16. Februar 2020 von http://www.womanknows.com/understanding-men/news/71/

Woman Knows: Playboys: Uncovering the Mystery. (o. D.). Abgerufen am 16. Februar 2020 von http://www.womanknows.com/understanding-men/news/316/

Yohn, D. L. (9. März 2016). To Win Customers, Stop Selling And Start Seducing. Abgerufen am 19. Februar 2020 von https://www.forbes.com/sites/deniselyohn/2016/03/09/to-win-customers-stop-selling-and-start-seducing/#443e2ed451c1

BONUSHEFT

Als Beilage zu diesem Buch erhalten Sie ein kostenloses E-Book zum Thema „Hypnose“.

In diesem Bonusheft „Hypnose Schnellstart-Anleitung“ erhalten Sie eine Einführung in die Welt der Konversationshypnose. Mit diesen Techniken können Sie andere Menschen während eines normalen Alltagsgespräches unbemerkt hypnotisieren.

Sie können das Bonusheft folgendermaßen erhalten:

Öffnen Sie ein Browserfenster auf Ihrem Computer oder Smartphone und geben Sie Folgendes ein:

emorygreen.com/bonusheft

Sie werden dann automatisch auf die Download-Seite geleitet.

Bitte beachten Sie, dass dieses Bonusheft nur für eine begrenzte Zeit zum Download verfügbar ist.

CPSIA information can be obtained
at www.ICGtesting.com
Printed in the USA
BVHW012358011121
620477BV00002B/48